LIGHTNING

ED McBAIN | *ŒUVRES*

POUR DES HARICOTS	*J'ai lu* 1875***
BLANCHE NEIGE ET ROSE ROUGE	*J'ai lu* 2072***
LIGHTNING	*J'ai lu* 2177***

ED McBAIN

LIGHTNING

TRADUIT DE L'AMÉRICAIN
PAR JACQUES MARTINACHE

ÉDITIONS J'AI LU

Ce roman a paru sous le titre original :

LIGHTNING

1

L'inspecteur Richard Genero n'aimait pas les appels de nuit. En fait, il avait peur de la ville après le coucher du soleil. La nuit, toutes sortes de choses pouvaient vous arriver dans cette ville. Même si vous étiez flic. Il connaissait des tas de flics qui avaient eu des pépins la nuit et en avait tiré une règle d'or : *ne jamais mettre le nez dehors la nuit* – règle impossible à observer si on ne voulait pas passer pour un froussard aux yeux des collègues.

Alors qu'il n'était encore qu'un simple agent, Genero faisait sa ronde par une nuit froide de décembre quand il avait vu de la lumière dans un sous-sol. En bon flic, il était descendu jeter un coup d'œil et avait découvert un gosse mort, le visage bleu, une corde autour du cou. Une autre fois (et ce n'était *même pas* la nuit, les pépins vous tombaient dessus aussi dans la journée), il avait vu quelqu'un se mettre à courir en jetant un sac sur le trottoir. Genero avait ramassé le sac et y avait trouvé une main. Une main d'homme ! Sectionnée au poignet et abandonnée sur le trottoir, dans un sac de compagnie aérienne ! Il arrivait de ces trucs aux flics, le jour comme la nuit. Selon Genero, on n'était jamais en sécurité dans cette ville quelle que soit l'heure à laquelle on sortait.

Il se sentait un tout petit peu plus rassuré quand même en compagnie de Carella.

Les deux hommes enquêtaient sur un casse et ils le faisaient la nuit parce que la victime était veilleur de nuit sur un chantier. Le voleur avait pénétré dans l'appartement à deux heures de l'après-midi et embarquait tranquillement le poste de télévision du séjour quand un type en pyjama était sorti de la chambre en criant : « Qu'est-ce que vous faites là ? » C'était le veilleur de nuit, et le cambrioleur avait déguerpi à toutes jambes. Carella et Genero étaient venus montrer au veilleur quelques photos de leur « trombinoscope » – même si une règle d'or recommandait aux flics malins de *ne-jamais-mettre-le-nez-dehors-la-nuit.* Même en compagnie de Carella. Carella n'était pas Superman. Ni même Batman.

Il mesurait un peu plus ou un peu moins d'un mètre quatre-vingts – Genero ne savait pas très bien estimer les tailles – et devait peser quatre-vingt-dix kilos environ – mais Genero n'était pas très bon non plus pour deviner le poids de quelqu'un. Carella avait des yeux marron légèrement bridés et marchait comme un joueur de base-ball. Ses cheveux étaient juste un peu plus clairs que ses yeux et il ne portait jamais de chapeau. Genero l'avait vu se balader tête nue même lorsqu'il pleuvait à seaux, comme s'il ignorait qu'il risquait d'attraper un rhume. Genero aimait faire équipe avec lui, il le considérait comme un homme sur lequel on pouvait compter s'il arrivait quelque chose. L'idée même qu'il puisse arriver quelque chose rendait Genero nerveux. Mais il ne pensait pas qu'il y aurait des pépins cette nuit car il était déjà trois heures du matin quand ils prirent le chemin du retour après avoir montré les photos au veilleur. L'inspecteur se disait qu'ils rentreraient au commissariat, prendraient du café et des *doughnuts*, noirciraient un peu de paperasse et attendraient l'arrivée de l'équipe de jour, à huit heures moins le quart.

La nuit était presque douce pour octobre.

Genero sortit du chantier avant Carella parce qu'il

avait cru entendre des rats détaler alors qu'ils approchaient du bord de l'excavation. S'il y avait une chose dont il avait horreur, c'étaient les rats. Surtout la nuit. Heureux d'être sorti de la zone entourée de palissades, creusée de trous béants et jonchée de poutrelles, il aspira une profonde bouffée d'air. A chaque pas, on risquait de tomber, de se casser le cou et de se faire boulotter dans le noir par les rats.

Le chantier s'étendait sur tout un côté de la rue, l'autre étant constitué d'immeubles abandonnés. Dans ce quartier, quand un propriétaire en avait assez de payer des impôts, il abandonnait simplement son immeuble. Les bâtiments déserts alignés face au chantier avaient l'air de fantômes crasseux à la lueur de la lune. Genero en avait la chair de poule. Il aurait parié que des milliers de rats le guettaient des fenêtres noires comme des orbites sans œil. Il tira un paquet de cigarettes de la poche de son blouson – il faisait assez doux pour sortir sans pardessus – et s'apprêtait à en allumer une quand son regard remonta le long de la rue.

Genero eut l'impression de voir quelqu'un pendu à un réverbère.

Au bout d'une longue corde.

Tournant doucement dans l'air calme d'octobre.

L'allumette brûla les doigts de l'inspecteur, qui la laissa tomber au moment même où Carella découvrait à son tour le pendu. Genero avait envie de filer ; il n'aimait pas plus les cadavres que les *morceaux* de cadavre. Il cligna des yeux parce qu'il n'avait jamais vu de pendu, excepté dans les westerns. Même le gosse du sous-sol n'était pas pendu comme ça. En fait, il n'était pas pendu du tout mais incliné en avant sur une couchette, le cou pris dans une corde attachée à un barreau de soupirail. Quand Genero rouvrit les yeux, Carella courait vers le réverbère où le pendu se balançait, tel un voleur de bétail capturé par des cow-boys et exécuté sur-le-champ.

Sauf que ce n'était pas un western.

– On est où, ici ? demanda Monroe. Dans l'Ouest sauvage ?

Il regardait la fille pendue, la main en visière pour se protéger de la lumière émise par l'ampoule à vapeur de sodium fixée à l'extrémité du bras du réverbère. On avait installé des réverbères à vapeur de sodium le mois précédent dans cette partie de la ville dans l'espoir que leur lumière vive réduirait la criminalité...

– C'est la Révolution française, dit Monoghan, son coéquipier.

– Pendant la Révolution, on te coupait la tête, corrigea Monroe.

– On te pendait aussi, s'obstina Monoghan.

Malgré la douceur inhabituelle du temps, les deux hommes portaient un pardessus noir : le noir était de rigueur chez les flics de la Brigade criminelle de la ville. Par contre, les policiers de la Criminelle ne portaient pas tous un feutre gris perle comme Monoghan et Monroe, qui en rabattaient le bord sur leurs yeux. Genero approuvait le port du chapeau : sa mère lui avait recommandé d'en mettre toujours un, même par temps chaud, *surtout* par temps chaud, pour ne pas avoir d'insolation.

– Vous avez des lynchages, dans le coin ? lança Monoghan à Carella.

– On a toutes sortes d'emmerdes, dans le coin.

Les mains enfoncées dans les poches de leur pardessus, les deux policiers de la Criminelle contemplaient le cadavre.

– Chouettes panties blancs, commenta Monoghan en regardant sous la jupe de la morte.

Une des chaussures de la fille était tombée sur la chaussée. Un escarpin violet, de la même couleur que sa blouse. Sa jupe était jaune paille, comme ses cheveux. Elle se balançait au-dessus des inspecteurs, tournant lentement au bout de la corde, une chaussure violette à un pied.

– Elle a quel âge, à ton avis ? demanda Monoghan.

– Dur à dire, d'ici, répondit Monroe.
– Il n'y a qu'à la descendre.
– Non, intervint Carella. Pas avant l'arrivée du médecin légiste.
– Et de l'E.P., ajouta Genero, qui voulait parler de l'équipe de photo.
Bien qu'il fût trois heures et quart du matin, un groupe de curieux venus de nulle part s'était formé dans la rue déserte aux immeubles abandonnés. A n'importe quelle heure du jour ou de la nuit, il y avait dans cette ville des gens éveillés. « Une vraie conspiration », pensait Genero. Les quatre agents venus séparément dans deux voitures de ronde quand Carella avait appelé le 10-29 s'employaient à placer des barrières et à repousser la foule. Quelqu'un déclara que ce n'était pas un vrai cadavre mais un mannequin, qu'on tournait sûrement un film, un truc pour la télévision. On n'arrêtait pas de tourner des films dans cette ville, on la trouvait photogénique. La fille continuait à osciller au bout de la corde.
– Comment peut-on pendre quelqu'un en pleine rue sans se faire voir ? demanda Monroe.
Carella se posait la même question.
– Elle s'est peut-être pendue, suggéra Monoghan.
– Et l'échelle pour grimper là-haut ? objecta son collègue.
– Quelqu'un aurait pu la barboter après. C'est le 87e, ici...
Carella se mit à tourner autour du réverbère en examinant la chaussée, et Genero se demanda ce qu'il espérait trouver. Il n'y avait dans le caniveau que les saletés habituelles : mégots de cigarettes, papiers de chewing-gums, gobelets en carton écrasés, etc. Les débris de la ville.
– Bon, qu'est-ce qu'on fait ? maugréa Monoghan. On attend le légiste toute la nuit ? Carella, tu as appelé à quelle heure ?
– Trois heures six.

– Et combien de secondes ? demanda Monroe.

Monoghan éclata de rire. Genero regarda sa montre et dit :

– Il y a douze minutes.

– Alors, qu'est-ce qu'il fabrique, le toubib ? grogna Monoghan.

Un homme s'avança de la foule et, profitant qu'un des agents avait le dos tourné, franchit la barrière. Il s'approcha de l'endroit où les inspecteurs formaient un petit groupe, sous le réverbère. Manifestement désigné comme porte-parole par les badauds, il prit l'air poli et déférent que la plupart des citoyens de cette ville affectaient lorsqu'ils demandaient un renseignement à un policier.

– Pardon, messieurs, pouvez-vous me dire ce qui se passe ?

– Fous le camp, répondit poliment Monoghan.

– Retournez derrière la barrière, dit Monroe.

– La jeune femme est morte ?

– Non, elle apprend à voler, fit Monoghan.

– Avec une corde de sécurité, ajouta Monroe.

– Elle ne va pas tarder à battre des bras pour s'envoler.

– Retournez regarder derrière la barrière.

L'homme leva les yeux vers la morte tournant au bout de la corde, rejoignit les autres et leur raconta ce qu'on lui avait dit.

– Vous avez eu des pendus, ces temps-ci ? demanda Monoghan à Carella.

– Nous avons eu quelques suicides par pendaison. Jamais rien de ce genre.

– Pour une vraie pendaison, il faut une bonne chute, recommanda Monroe. La plupart de tes suicidés, ils montent sur une chaise, ils se passent la corde au cou et ils sautent. C'est pas comme ça qu'on se pend. En fait, ils meurent étranglés.

– Pourquoi ? demanda Genero, intéressé.

Sa mère lui avait conseillé d'écouter attentivement

les autres parce que c'était le meilleur moyen d'apprendre.

– Parce que dans une *vraie* pendaison, la corde... le nœud, là...

– Un vrai nœud de potence, apprécia Monoghan.

– Il brise le cou du type dans sa chute, voilà ce qui se passe, reprit Monroe. Mais il faut une bonne chute : deux mètres au moins, sinon la corde étouffe seulement le gars. Y a des tas d'amateurs qui essaient de se pendre et qui meurent étouffés. Quand on veut se tuer, on doit d'abord se renseigner sur la manière de le faire.

– Moi, j'ai vu un suicidé qui s'était donné un coup de couteau dans le cœur, raconta Monoghan.

– Et alors ? fit Monroe.

– Rien, c'était juste histoire de parler.

– On en voit de toutes les couleurs, conclut Genero en s'efforçant de prendre un ton de vieux routier.

– Tu l'as dit, petit, approuva solennellement Monoghan.

– Voilà le légiste, annonça Monroe.

– Il serait temps, grommela Monoghan.

Le médecin légiste adjoint, un nommé Paul Blaney, jouait au poker quand on l'avait prévenu. Il était furieux parce qu'il tenait un full, les rois par les trois, quand le téléphone avait sonné. Il avait insisté pour jouer la donne avant de partir et s'était fait souffler le pot par un carré de valets. Blaney était un petit homme avec une moustache noire mangée aux mites, des yeux qui prenaient une couleur violette sous un certain éclairage et un crâne chauve qui brillait sous les ampoules à vapeur de sodium. Il salua les inspecteurs courtoisement, leva les yeux vers la morte.

– Alors ? fit-il. Vous vous imaginez que je vais grimper au réverbère ?

– Je vous avais dit de la descendre, rappela Monoghan.

– Il vaut mieux attendre les gars du labo, répondit Carella.

– Pourquoi ?

– Ils voudront sûrement examiner la corde.

– Tu as déjà eu une affaire où il y avait des empreintes digitales sur une corde ? demanda Monoghan.

– Non, mais...

– Alors, on la décroche.

Blaney semblait hésiter. Il jeta un coup d'œil à la fille, regarda Carella.

– Ils sauront peut-être quel genre de nœud c'est, suggéra l'inspecteur du 87e.

– C'est un nœud de potence, déclara Monoghan. Ça saute aux yeux. Tu ne vas jamais au cinéma ? Tu ne regardes pas la télé ?

– Je parle de l'autre nœud. Autour du bras du réverbère.

Blaney consulta sa montre.

– J'étais en train de jouer au poker, dit-il à personne en particulier.

Lorsque l'équipe mobile du laboratoire se montra, dix minutes plus tard, il y avait sur les lieux trois autres voitures de ronde, et une ambulance était arrivée de Mercy General. Derrière les barrières, la foule avait grossi ; tout le monde attendait qu'on décroche la morte. Les membres de l'E.P. photographièrent la fille pendue au réverbère, la corde, le trottoir. Les techniciens du labo s'entretinrent brièvement avec Carella et il fut jugé préférable de laisser le nœud tel qu'il était plutôt que de le défaire pour descendre la fille. On décida finalement de couper la corde.

Monoghan prit un air triomphant : c'était ce qu'il conseillait de faire depuis le début. Un car de police secours arriva, un sergent détacha une échelle du flanc du véhicule et demanda à l'un des techniciens où il devait couper la corde. « Au milieu », répondit le technicien. Entre le nœud coulant enserrant le cou de la fille et l'endroit où la corde était attachée au réverbère. Les flics du car tendirent un filet sous la fille, le sergent grimpa à l'échelle et sectionna la corde.

Le cadavre tomba dans le filet.

Un cri s'éleva de la foule, derrière les barrières.

Blaney examina la fille, la déclara morte et avança l'hypothèse – en attendant l'autopsie – d'une fracture des vertèbres cervicales.

Il était un peu plus de quatre heures du matin quand l'ambulance l'emmena à la morgue.

La première fois, c'était toujours très facile.

Il y avait un effet de surprise. Aucune de ces femmes ne pensait qu'une pareille chose pouvait lui arriver *à elle*, même dans cette ville où – elles le savaient – cela se produisait fréquemment. Il suffisait de les guetter, de leur montrer le couteau, et elles se liquéfiaient de frousse.

Les fois suivantes, c'était difficile, très difficile.

Il fallait beaucoup de patience.

Certaines ne bougeaient plus de chez elles après la première fois, terrifiées qu'elles étaient par ce qui leur était arrivé. Mais au bout de quelques semaines, parfois un mois, elles se remettaient à sortir, généralement avec leur mari ou leur petit ami et jamais la nuit. Elles avaient encore peur de sortir la nuit. Il fallait être patient.

Et suivre le calendrier.

Finalement, elles surmontaient leur traumatisme et s'aventuraient de nouveau seules le soir. Lui, il attendait, bien sûr ; il les attendait, et la surprise était encore plus grande la seconde fois. La foudre ne frappe jamais deux fois au même endroit, n'est-ce pas ? Mais si. Et la seconde fois, celles qui le reconnaissaient le suppliaient en général de ne pas recommencer. Elles qui imposaient leur volonté à *tout le monde* dès qu'elles le pouvaient, elles l'imploraient de ne pas *leur* imposer *sa* volonté. Quelle ironie ! Aucune d'elles ne soupçonnait qu'il suivait le calendrier, que le jour de ses attaques était soigneusement choisi.

Après la seconde fois, elles s'effondraient. Certaines

quittaient le quartier ou même la ville ; d'autres prenaient de longues vacances ; d'autres encore sursautaient quand une voiture klaxonnait à trois cents mètres de chez elles. Elles commençaient à se voir en victimes impuissantes d'un être inexplicablement malfaisant qui les avait choisies entre toutes les autres femmes de la ville. L'une d'elles engagea même un garde du corps. Mais les autres... On se remet, on reprend une vie normale. On passe quelques heures dehors dans la journée, sans s'aventurer trop loin de chez soi. Peu à peu, on étend l'horaire des sorties, on élargit le secteur des escapades et, avant longtemps, c'est le retour à la normale. On ressort le soir et, comme rien ne se passe, on se dit que c'est fini, qu'il n'y a pas même une chance sur un million pour que cela se reproduise une troisième fois. Pourtant il y aura une troisième fois parce qu'il suit le calendrier, parce qu'il est très patient et qu'il a tout son temps.

La troisième fois, l'une d'elles s'était défendue comme si sa vie en dépendait. Il lui avait tailladé le visage et elle avait cessé de crier, elle s'était soumise à lui, gémissante, la joue couverte de sang. La troisième fois, une autre lui avait promis une somme extravagante s'il la laissait tranquille. Il lui avait fait ce qu'il avait envie de lui faire et avait recommencé une semaine plus tard, chez elle, cette fois. Il savait qu'elle vivait seule. C'était l'unique femme qu'il avait violée quatre fois parce que, après la troisième, il devenait quasi impossible de mettre le plan à exécution. Elles savaient alors qu'elles n'étaient pas choisies au hasard, que quelqu'un s'en prenait à *elles* en particulier.

Tout ce qu'il avait à faire, c'était attendre patiemment.

Regarder le calendrier.

Cocher les dates.

Pour une seule d'entre elles, il avait atteint son but dès la première fois.

Il s'était ensuite contenté de la guetter, certain qu'elle

serait contrainte de faire exactement ce qu'il avait prévu, jusqu'au bout. Un sentiment de triomphe l'avait envahi lorsqu'il l'avait revue de loin un mois plus tard : il savait que son plan était viable, qu'il réussirait de nouveau.

La femme de cette nuit s'appelait Mary Hollings.

Il l'avait violée deux fois.

La première fois, c'était en juin. Le 10, pour être précis, un vendredi soir – il avait noté la date sur son calendrier. Elle revenait de faire des emplettes et portait un grand sac plein de paquets quand il l'avait agrippée pour l'attirer dans la ruelle. Il lui avait montré le couteau, l'avait approché de sa gorge et elle s'était soumise sans un mot, au milieu des paquets éparpillés sur le sol. Elle faisait partie de celles que leur première mésaventure n'avait pas terrifiées et une semaine plus tard, elle ressortait de nouveau seule le soir. En faisant quand même attention – elle n'était pas idiote. Mais elle luttait courageusement contre sa peur, regardant en face ce qui lui était arrivé, refusant d'être obnubilée par l'événement, résolue à vivre sa vie comme elle le faisait avant qu'il n'y fasse irruption.

Il l'avait violée à nouveau le 16 septembre, un vendredi comme la première fois – il avait noté la date dans son calendrier. Elle était allée au cinéma avec une amie à la séance de huit heures, l'avait raccompagnée et commençait à remonter la rue en direction des lumières vives lorsqu'il l'avait assaillie. A nouveau, elle n'avait pas prononcé un mot, mais cette fois, elle était terrifiée. Cette fois, elle tremblait de tout son corps quand il avait tailladé ses panties avec son couteau.

Le 16 septembre, c'était trois semaines plus tôt.

Depuis, il l'avait observée de loin. Il avait remarqué qu'elle ne sortait plus jamais seule, même le jour, à moins qu'il n'y ait beaucoup de monde dans la rue, et qu'elle ne sortait *plus du tout* le soir à moins d'être accompagnée d'un homme, parfois de deux. Rien qu'en la regardant il devinait qu'elle était encore nerveuse, même avec des chevaliers servants pour la protéger. Elle ne cessait de tourner la tête, traversait la rue si un homme s'approchait d'eux sur le trottoir.

Le samedi précédent, il l'avait suivie jusqu'au commissariat central, et avait supposé qu'elle s'y était rendue pour donner de plus amples détails sur ce qui lui était arrivé deux fois. Il l'avait suivie quand elle en était ressortie, l'avait vue entrer chez un armurier, montrer un papier au commerçant puis examiner les pistolets qu'il posait sur le comptoir. Elle était allée à la police pour obtenir un port d'armes ! Elle voulait une arme. Il sourit quand elle procéda à son achat et conclut qu'elle se remettrait bientôt à sortir seule le soir. Avec un pistolet dans son sac.

Mais il se trompait.

Elle n'avait pas bougé de la semaine, elle n'osait plus sortir, même accompagnée, même armée. Les jours s'écoulaient, le 7 octobre approchait rapidement. Il faudrait qu'il pénètre dans son appartement, comme avec celle qu'il avait violée quatre fois.

Ce serait la troisième fois pour elle. Encore un ou deux coups et il l'aurait, à moins qu'elle n'aille vivre en Mongolie-Extérieure.

2

Une femme agent accompagna Mary Hollings au Mercy General, où, moins de trois heures plus tôt, le cadavre de la fille pendue non identifiée avait été conduit à la morgue pour autopsie. La femme flic, qui s'appelait Hester Fein, avait une corpulence de lutteur et le visage couvert d'acné malgré ses vingt-huit ans. C'était une espèce de pot à tabac dépourvu de charme qui pensait – comme beaucoup de ses collègues masculins – qu'on ne se faisait pas violer sans l'avoir cherché.

Surtout quand cela vous arrivait *trois fois* en cinq mois. Hester Fein rêvait de porter un 357 Magnum, ce que la police de cette ville ne permettait pas. Elle songeait parfois à aller vivre à Houston, au Texas : là-bas, au moins, on savait de quel genre d'arme un policier a besoin pour se protéger.

L'infirmière demanda à Mary Hollings comment elle s'appelait et inscrivit la réponse sur l'étiquette d'une boîte en plastique. Puis elle demanda à Hester de quel délit il s'agissait et la femme agent répondit : « Viol », bien qu'elle n'y crût absolument pas. L'infirmière nota ensuite la date et le lieu de l'« incident » dans les cases appropriées de l'étiquette et ouvrit la boîte.

Elle contenait un grattoir, deux lamelles, un peigne en plastique, une bande adhésive pour recueillir des poils pubiens, deux enveloppes marquées A et B, un sachet renfermant du coton et un réactif au liquide séminal, un mode d'emploi et deux étiquettes rouges sur lesquelles était écrit :

Pièces à conviction
ATTENTION ! SCELLÉS DE POLICE
Ne pas ouvrir

L'infirmière qui allait procéder aux prélèvements connaissait la marche à suivre. Mary Hollings aussi. En tremblant, elle monta sur la table d'examen, ôta ses panties lacérés. L'infirmière assura qu'elle ne lui ferait aucun mal, Mary marmonna des paroles incohérentes en réponse, plaça les pieds dans les étriers et soupira. Avec le grattoir en bois, l'infirmière prit deux frottis vaginaux, laissa sécher les lamelles avant de les replacer dans la boîte.

— On aura besoin des panties, avertit Hester.
— Quoi ? fit l'infirmière.
— Comme pièce à conviction.
— C'est votre affaire.
— Exact, dit Hester.

Elle prit les panties et les glissa dans une enveloppe. La dentelle noire qui les bordait la confirma dans sa conviction qu'on ne se fait pas violer sans l'avoir cherché.

L'infirmière inscrivit sur l'enveloppe A diverses indications puis la tint ouverte sous le vagin de Mary et passa plusieurs fois le peigne en plastique sur le pubis, de manière à faire tomber tous les poils détachés. Elle mit le peigne dans l'enveloppe avec les poils, la ferma et la rangea dans la boîte, avec les lamelles.

Au cas où des poils auraient échappé au peigne, l'infirmière passa sur le pubis de Mary la bande adhésive, la tapota avant de la glisser dans un sachet et de remettre le tout dans la boîte. Mary continuait à trembler, elle semblait incapable de s'arrêter.

– Il nous faut quelques poils pubiens, lui dit l'infirmière. Vous voulez les prélever vous-même ou vous préférez que je le fasse ? Je le fais ?

Mary acquiesça.

– Je les prends où, mon petit ? demanda l'infirmière.

Mary secoua la tête.

– Là ?

Mary acquiesça de nouveau.

L'infirmière griffonna les mêmes indications sur l'enveloppe B avant de saisir fermement une touffe de poils pubiens et d'en arracher une vingtaine d'un coup sec. Les poils ne devaient pas être coupés, c'était important. Elle les plaça dans l'enveloppe, qu'elle ferma.

– C'est presque fini, promit-elle.

Mary hocha la tête.

Sous le regard de Hester Fein, l'infirmière ouvrit le sachet contenant le réactif, passa le coton sur la zone génitale de Mary et demanda à la femme agent :

– Je fais le test ici ou ils s'en chargeront au labo ?

– On ne m'a rien dit, répondit Hester.

– Autant le faire maintenant, on sera tranquilles.

L'infirmière appliqua sur le coton pendant quelques

secondes une bande de papier imprégnée de phosphatase acide, l'éloigna, l'examina.

– Ça indique quoi ? voulut savoir Hester.

– La présence de liquide séminal provoque un changement de couleur immédiat.

– Quelle couleur ?

– Voilà, regardez, dit l'infirmière tandis que le papier virait au violet foncé.

– Qu'est-ce que ça signifie ?

– Qu'il y a bien du liquide séminal, répondit l'infirmière. (Elle se tourna vers Mary.) Ils vous feront d'autres tests au labo mais c'est fini pour le moment. Merci, mon petit. Vous avez été très bien.

Elle mit le papier dans la boîte, la referma et y apposa les scellés en disant à la femme flic :

– Vous constatez ?

Puis elle remit la boîte à Hester et dit à Mary :

– Vous pouvez y aller, maintenant.

– Où ?

– On retourne au commissariat, annonça Hester. Une inspectrice de la Brigade des viols va passer.

Mary s'assit et bredouilla, l'air hébété :

– Je...

– Oui, mon petit ? dit l'infirmière.

– Mes panties ? Où sont mes panties ?

– Je les garde comme pièce à conviction, répondit Hester.

– J'en ai besoin.

La femme agent regarda l'infirmière, tendit de mauvaise grâce à Mary l'enveloppe de papier bulle. Tandis que celle-ci enfilait ses panties déchirés, Hester murmura à l'infirmière :

– On ferme la porte de l'écurie quand les chevaux sont partis.

Mary ne parut pas l'entendre.

La salle de permanence du 87e commissariat était relativement calme à huit heures du matin, quand l'inspectrice de la Brigade des viols arriva. L'équipe des « fossoyeurs » (1) avait déjà été relevée et Genero s'était empressé de rentrer chez lui, laissant Carella taper le rapport tandis que les inspecteurs qui les remplaçaient buvaient leur tasse de café habituelle avant de se mettre au travail.

La relève se composait de Cotton Hawes, Bert Kling, Meyer Meyer et Arthur Brown, mais Brown et Meyer étaient déjà partis interroger la victime d'un vol à main armée. Les deux autres finissaient leur gobelet de café – Kling derrière son bureau, Hawes assis sur un coin du meuble – quand l'inspectrice fit son entrée.

– Qui dois-je voir pour l'affaire Mary Hollings ? demanda-t-elle.

Hawes se retourna et découvrit près de la barrière divisant la salle une brune à lunettes de trente-trois ou trente-quatre ans vêtue d'un trench-coat ouvert sur une robe bleue, avec des chaussures de même couleur. Elle portait à l'épaule un sac de cuir assorti qu'elle appuyait contre sa hanche de sa main droite.

– C'est pour le viol ?

La femme acquiesça de la tête, ouvrit la porte de la barrière et s'approcha des deux hommes en déclarant :

– Je suis Annie Rawles.

Derrière son bureau, Carella leva brièvement la tête et se remit à taper à la machine.

– Il reste du café ? demanda-t-elle.

Cotton Hawes se présenta et tendit une main qu'Annie serra fermement en le détaillant : un mètre quatre-vingt-cinq-un mètre quatre-vingt-dix, environ cent kilos, des yeux bleus, une crinière rousse avec, au-dessus de la tempe gauche, une marque blanche, comme s'il avait été frappé par la foudre. L'inspecteur pensait qu'il ne lui déplairait pas de coucher avec Annie Rawles. Il aimait les femmes minces avec de petits seins fermes et pas de

(1) L'équipe de nuit. *(N.d.T.)*

hanches. Distraitement, il se demanda si elle avait un grade supérieur au sien.

– Bert Kling, dit l'autre flic en saluant d'un signe de tête.

« Il y a de beaux gars, ici », pensa Annie. Celui qui venait de se présenter était presque aussi grand et aussi large d'épaules que le premier, avec des cheveux blonds et des yeux noisette, l'expression franche d'un gars de la campagne. Même celui qui était penché sur sa machine, à l'autre bout de la pièce, était beau dans son genre – le genre vaguement chinois – mais il portait une alliance à la main gauche.

– C'est vous qui avez pris l'appel ? demanda Annie.

– Non, c'est O'Brien, il est déjà parti, répondit Hawes.

– Je vais vous chercher du café, dit Kling. Vous le voulez comment ?

– Léger, avec un seul sucre.

Kling se dirigea vers le secrétariat situé au bout du couloir.

– Où est la victime ? demanda l'inspectrice.

– Une femme agent l'a conduite au Mercy General, dit Hawes.

– Nous ne nous sommes pas déjà rencontrés ?

– Je ne crois pas. Je m'en souviendrais, assura l'inspecteur en souriant.

– Je pensais vous avoir déjà vu ici. Vous avez beaucoup de viols, n'est-ce pas ?

– Plus que notre part.

– Combien ? demanda Annie.

– Par semaine ? par mois ?

– Par an.

– Il faudrait que je consulte les dossiers. Pour toute la ville, nous en avons eu trois mille cinq cents l'année dernière et les chiffres nationaux frôlaient soixante-dix-huit mille.

Kling, qui revenait avec le café, déclara :

– J'ai une copine qui bosse avec les Forces spéciales. Elle sert souvent d'appât.

– Comment s'appelle-t-elle ? demanda Annie.
– Eileen Burke.
– Ah ! oui. Une grande rousse aux yeux verts ?
– C'est ça.
– Une belle fille, commenta l'inspectrice, ce qui fit sourire Kling. Un bon flic aussi.

Il avait parlé de « copine », l'euphémisme en vigueur pour « maîtresse », même dans la bouche d'un flic. « Eliminons le blond », pensa Annie.

La porte de la barrière s'ouvrit, Hester Fein s'avança avec Mary Hollings, chercha O'Brien des yeux, ne le vit pas et parut un moment perdue.

– Qui s'occupe de ça ? demanda-t-elle en montrant la boîte en plastique.
– Je la prends, dit Annie.

Comme Hester la regardait d'un air perplexe, elle ajouta :

– Inspectrice de première classe Annie Rawles. Brigade des viols.

« Elle a un grade plus élevé que le mien », pensa Hawes.

Rawles signa l'accusé de réception que lui présentait Fein puis se tourna vers Hawes :

– Y a-t-il un endroit où je puisse parler à miss Hollings en particulier ?
– La salle des interrogatoires, au bout du couloir. Je vais vous montrer.
– Du café, miss Hollings ? proposa Annie.

Mary secoua la tête et les deux femmes suivirent Hawes. Hester s'attarda, comme si elle espérait que Kling ou Carella lui offrirait du café à elle aussi. Voyant qu'aucun d'eux n'y songeait, elle sortit.

Dans la salle des interrogatoires, Annie Rawles annonça d'une voix douce :

– D'abord quelques questions de routine, si vous voulez bien.

La jeune femme garda le silence.

– Nom et prénoms ?

– Mary Hollings.
– Pas d'autre prénom ?
Elle fit non de la tête.
– Votre adresse, s'il vous plaît.
– 1840, Laramie Crescent.
– Appartement ?
– 12 C.
– Votre âge.
– Trente-sept ans.
– Célibataire ? mariée ?
– Divorcée.
– Votre taille, s'il vous plaît.
– Un mètre soixante-quinze.
– Votre poids ?
– Soixante-douze kilos.
L'inspectrice leva les yeux.
– Cheveux roux, murmura-t-elle en griffonnant sur le formulaire. Yeux bleus.
Elle mit une croix dans la case race blanche, parcourut négligemment le reste de la feuille et releva la tête.
– Pouvez-vous me raconter ce qui s'est passé, miss Hollings ?
– Le même homme.
– Comment ?
– Le même homme que les deux autres fois.
– C'est la troisième fois que vous vous faites violer ? demanda Annie, surprise.
Mary acquiesça.
– Et chaque fois par le même homme ? Vous l'avez reconnu ?
– Oui.
– Vous le connaissez ?
– Non.
– Mais vous êtes sûre que c'était le même ?
– Oui.
– Pouvez-vous me le décrire ? demanda l'inspectrice en sortant un carnet de son sac.
– Je l'ai déjà fait. *Deux fois.*

Annie sentit que la colère commençait à monter chez la victime, elle avait assisté au phénomène des centaines de fois. D'abord le choc, avec une peur sous-jacente, puis la colère.

– Alors je retrouverai son signalement dans le dossier, fit-elle d'un ton conciliant. Pouvez-vous me raconter ce qui est arrivé ?

Mary garda le silence.

– Miss Hollings ?

Elle ne dit toujours rien.

– Je veux vous aider, assura Annie avec douceur.

Mary hocha la tête.

– Pouvez-vous me dire où et quand cela s'est produit ?

– Dans mon appartement.

– Il est entré chez vous ?

– Oui.

– Vous savez comment ?

– Non.

– La porte était fermée à clé ?

– Oui.

– Il y a un escalier d'incendie ?

– Oui.

– Il aurait pu venir par là ?

– Je ne sais pas *comment* il est entré. Je dormais.

– Il y a un gardien, dans votre immeuble ?

– Non.

– Il a pris quelque chose dans l'appartement ?

– Non. C'est *moi* qu'il voulait.

– Vous dormiez, donc... Quels vêtements portiez-vous ?

– Qu'est-ce que cela peut faire ?

– Nous en aurons besoin...

– Une chemise de nuit longue et des panties... Depuis la première fois, je... je porte des panties au lit.

– Les deux premières fois, c'était aussi dans votre appartement ?

– Non, dans la rue.

– Et vous êtes sûre que c'est le même homme ?
– Certaine.
– Pourrions-nous voir la chemise de nuit et les panties que vous portiez ? Pour le laboratoire...
– J'ai les panties sur moi. Je... j'ai juste passé une robe et mis des chaussures après son départ.
– Quelle heure était-il ?
– Un peu avant sept heures. Juste avant que j'appelle la police.
– Vous vous souvenez de l'heure à laquelle il a pénétré dans l'appartement ?
– Il devait être un peu plus de cinq heures.
– Alors il est resté près de deux heures.
– Oui.
– Quand vous êtes-vous aperçue de sa présence ?
– J'ai entendu du bruit, j'ai ouvert les yeux... et il était là. Sur moi, avant que je puisse...
Mary ferma les yeux, secoua la tête.
Annie savait que les prochaines questions seraient difficiles, que la plupart des victimes se fâchaient quand on les posait. Mais la nouvelle législation pénale de l'Etat définissait le viol au premier degré comme : 1) des rapports sexuels imposés par la force ; 2) des rapports sexuels avec une femme incapable physiquement ou mentalement de s'y opposer ; 3) des rapports avec une personne de moins de onze ans. Il fallait poser les questions.
La nouvelle définition ne constituait pas une amélioration par rapport à l'ancienne, pour qui le violeur était « une personne se livrant à un acte sexuel sur une femme qui n'est pas son épouse, contre sa volonté ou sans son consentement ». L'ancienne législation comme la nouvelle ne trouvait donc rien à redire au viol d'une épouse puisqu'une clause annexe de la nouvelle loi définissait comme femme « toute personne de sexe féminin non mariée avec l'auteur de l'acte ».
Annie Rawles prit une profonde inspiration avant de demander :

– Quand vous dites « sur moi », vous voulez dire allongé sur vous ?
– Non. A... à califourchon.
– Qu'avez-vous fait ?
– J'ai t-tendu la main vers la t-t-table de nuit. J'ai un revolver dans le tiroir, j'ai... j'ai essayé de le prendre. Mais il m'a saisi le poignet.
– Lequel ?
– Le droit.
– Votre main gauche était libre ?
– Oui.
– Avez-vous essayé de vous en servir pour vous défendre ?
– Non.
– Vous n'avez pas cherché à le frapper ?
– Non. Il avait un couteau !
« Bon, un couteau, pensa l'inspectrice. Première catégorie : rapports imposés par la force. »
– Quel genre de couteau ?
– Le même que les autres fois.
– C'est-à-dire ?
– Un cran d'arrêt.
– Pouvez-vous préciser la longueur de la lame ?
– Je n'en sais rien, c'était un couteau ! explosa Mary.
– Il vous en a menacée ?
– Il a dit qu'il me saignerait si je poussais un cri.
– Ce sont ses mots exacts ?
– Si je criais, si j'appelais, je ne sais plus.
– Que s'est-il passé, ensuite ?
– Il... il a soulevé ma chemise de nuit.
– Vous vous êtes débattue ?
– Il appuyait la pointe du couteau contre ma gorge.
– Contre votre gorge ?
– Oui. Et puis... il l'a mis entre mes cuisses, il a dit qu'il le planterait dans... dans *moi* si je criais. Il a coupé mes panties avec le couteau... et... après... il m'a...
Annie prit à nouveau une profonde inspiration.
– Vous dites qu'il est resté deux heures ?

— Il... il n'a pas arrêté.

— Il a dit quelque chose pendant tout ce temps ? Quelque chose qui permettrait de l'identi...

— Non.

— Il n'a pas mentionné son nom par mégarde...

— Non.

— Ni d'où il était...

— Non.

— Absolument rien ?

— Pas pendant qu'il... qu'il me...

— Pendant qu'il vous violait, miss Hollings. Vous pouvez le dire. Ce salaud vous a violée.

— Oui, murmura Mary.

— Et il n'a pas prononcé un mot ?

— Pas pendant qu'il me... violait.

— Miss Hollings, je dois vous poser une autre question. Vous a-t-il imposé des actes pervers ?

L'inspectrice songeait à la loi définissant la sodomie au premier degré, autre crime de classe B, passible de vingt-cinq ans de prison. Si on arrêtait le type, s'il était convaincu de viol *et* de sodomie, il passerait le reste de ses jours derrière les barreaux...

— Non, répondit Mary.

Annie hocha la tête. Simple viol au premier degré, vingt-cinq ans au maximum, trois ans avec un juge indulgent. Une libération éventuelle pour bonne conduite au bout d'un an.

— Av-avant de partir, il...

— Oui ?

— Il... il a dit...

— Qu'a-t-il dit, miss Hollings ?

— Il...

Mary se couvrit le visage de ses mains.

— Qu'a-t-il dit, s'il vous plaît ?

— Il a dit... qu'il reviendrait... Et il souriait.

3

Le paquet arriva par la poste le mardi matin 11 octobre. Adressé au 87ᵉ commissariat, il fut réceptionné par le sergent Dave Murchison, avec le reste du courrier du matin. Celui-ci examina le colis d'un œil soupçonneux puis le tint contre son oreille : dans le monde d'aujourd'hui, on ne savait jamais si un colis sans indication d'expéditeur ne contenait pas une bombe.

Il n'entendit aucun tic-tac, ce qui ne voulait rien dire. On bricolait maintenant des engins explosifs qui n'émettaient pas le moindre tic-tac. Murchison se demandait s'il devait prévenir la Brigade des explosifs : il aurait l'air malin si les spécialistes se dérangeaient pour une boîte de chocolats... En vieux flic, il savait qu'une des premières règles de survie dans la police, c'est de se couvrir. Aussi décrocha-t-il le téléphone pour appeler le capitaine Frick.

Le 87ᵉ commissariat comptait cent quatre-vingt-six agents en tenue et seize inspecteurs en civil, tous sous les ordres du capitaine Frick. La plupart d'entre eux pensaient que leur chef avait passé l'âge de la retraite, sinon pour l'état civil du moins mentalement. Certains allaient même jusqu'à prétendre que le capitaine était incapable de nouer ses lacets le matin, et plus encore de prendre des décisions dont pouvait dépendre la vie ou la mort de ses hommes. Frick avait des cheveux blancs. Depuis toujours. Il pensait que cela s'harmonisait parfaitement avec le bleu de son uniforme et ne pouvait imaginer de porter autre chose que l'uniforme bleu qui mettait si bien en valeur sa magnifique chevelure blanche. Les galons dorés lui plaisaient bien aussi. Il aimait être flic. Par contre, il n'aimait pas qu'on le dérange avec une histoire de paquet louche arrivé avec le courrier du matin.

– Comment ça, louche ? demanda le capitaine au sergent.

– Il n'y a pas de nom d'expéditeur, répondit Murchison.

– Il a été posté où ?

– Calm's Point.

– Ce n'est pas notre secteur.

– Non, capitaine.

– Alors renvoyez-le.

– Le renvoyer où, capitaine ?

– A Calm's Point.

– *Où*, à Calm's Point ? Il n'y a pas d'expéditeur.

– Renvoyez-le à la poste, dit Frick. Qu'ils s'en occupent.

– Et s'il explose ?

– Pourquoi exploserait-il ?

– Supposons qu'il contienne une bombe. Supposons qu'on le renvoie à la poste, qu'il explose et tue une centaine d'employés. De quoi aurons-nous l'air ?

– Alors, qu'est-ce qu'on fait ? demanda le capitaine.

Il regardait ses chaussures en pensant qu'elles avaient besoin d'un coup de brosse. A l'heure du déjeuner, il irait les faire cirer chez le coiffeur.

– C'est précisément ma question, capitaine. Qu'est-ce qu'on fait ?

« Des responsabilités, songea Frick, toujours des responsabilités. Se couvrir. Au cas où il y aurait des retombées. »

– Que conseillez-vous, sergent ?

– Et vous, capitaine ?

– Vous pensez qu'il faut appeler la Brigade des explosifs ?

– C'est ce que vous pensez, capitaine ?

– Apparemment, c'est une affaire banale. Je suis sûr que vous pouvez vous en occuper.

– Oui, capitaine. M'en occuper comment ?

Les deux policiers, experts l'un et l'autre dans l'art de se couvrir, se trouvaient dans une impasse. Frick se demandait comment donner vaguement un ordre qui n'aurait pas l'air d'un ordre ; Murchison attendait, en espérant que Frick ne lui dirait pas d'ouvrir le paquet. Il se demandait comment manœuvrer pour amener le capitaine à lui donner des instructions précises avant que ce fichu colis ne lui explose à la figure.

– Faites comme bon vous semblera, répondit Frick.

– Oui, capitaine. Je l'envoie dans votre bureau.

– Non ! s'exclama aussitôt Frick. Pas de bombe dans mon bureau !

– Je l'envoie où, alors ?

– Je vous l'ai dit. A la poste.

– Bien, capitaine. Vous m'ordonnez de le renvoyer à la poste ? Et s'il y explose ?

– Il n'explosera pas si la Brigade des explosifs l'examine *avant*, répliqua Frick, qui se rendit compte au même moment qu'il avait été joué.

– Merci, capitaine. J'appelle la Brigade des explosifs.

Frick raccrocha en pensant que s'il n'y avait pas de bombe dans le paquet, les gars des Explosifs en feraient des gorges chaudes pendant des mois : ces trouillards du 87ᵉ, ils appellent la Brigade parce qu'ils ont reçu un paquet sans indication d'expéditeur. Il souhaitait presque qu'il y ait une bombe dans le paquet et qu'elle explose avant l'arrivée de la B.E.

Il n'y avait pas de bombe dans le paquet.

Les spécialistes de la Brigade des explosifs riaient encore en quittant le commissariat. De la fenêtre de son bureau, Frick les regarda partir en espérant qu'il ne tomberait pas sur un de ses supérieurs dans les semaines qui venaient.

Il y avait dans le paquet un sac contenant des mouchoirs en papier, un peigne, un chéquier, du fond de teint, un petit carnet à spirale, un anneau portant quatre clés, un tube de rouge à lèvres, un stylo à bille, une paire de lunettes de soleil et un portefeuille. On trouva dans ce portefeuille quarante-sept dollars, une carte d'étudiante à l'université Ramsey établie au nom de Marcia Schaffer, résidant dans cette ville.

Sur la photo de la carte, la fille souriait.

Elle ne souriait pas sur celles que l'E.P. avait prises d'elle le vendredi 7 octobre, après qu'on l'eut décrochée du réverbère.

Kling et Carella examinaient les photos quand Meyer entra dans la grande salle du commissariat. Comme il portait une perruque, ils feignirent de ne pas le reconnaître.

– Oui, monsieur, c'est pour quoi ? demanda Carella en levant les yeux.

– Allez, ça va, bougonna Meyer en poussant la porte de la barrière.

Kling bondit sur ses pieds, se précipita vers son collègue.

– Excusez-moi, monsieur, c'est réservé au personnel.

– C'est à quel sujet ? insista Carella.

Meyer continua d'avancer et Kling dégaina son arme en criant :

– Ne bougez plus !

– Pas un pas de plus ! lança Carella, qui avait déjà son arme à la main.

– C'est moi, grogna Meyer. Ça suffit comme ça.

– Moi *qui* ? demanda Kling. Qu'est-ce que vous venez faire ici ?

– Je viens botter le train de deux pieds-plats qui se croient drôles, dit Meyer en se dirigeant vers son bureau.

– Mais c'est Meyer ! s'exclama Carella.

– Ça alors ! s'écria Kling.

– T'as des cheveux, maintenant ?

– Oh ! ça va, dit Meyer. Ce n'est pas parce que quelqu'un s'achète une perruque qu'il faut rigoler.

– Est-ce qu'on rigole ? fit observer Kling.

– Tu nous as vus rire ? demanda Carella.

– Ce sont de vrais cheveux ?

– Oui, des vrais, grommela Meyer.
– Mon vieux, tu nous as eus, dit Carella.
– Je le trouve beau, comme ça, déclara Kling.
– Adorable, renchérit Carella.
– Les conneries qu'il faut entendre ! soupira Meyer. Vous n'avez rien d'autre à faire ? Je croyais qu'il y avait eu un meurtre, la semaine dernière.
– Il est ravissant quand il se met en colère, dit Kling.
– Ces yeux bleus qui lancent des éclairs !
– Sous ces belles mèches châtaines.
– Qui s'est assis sur ma chaise ? tonna une voix de l'autre côté de la barrière.

L'inspecteur Arthur Brown avait la couleur de son nom (1), il mesurait plus de deux mètres et pesait cent dix kilos.

– Mais c'est Boucles d'or ! s'exclama-t-il, une expression de surprise sur son beau visage. Comme tu as de beaux cheveux, Boucles d'or !

Brown s'approcha du bureau de Meyer, en fit le tour à pas de loup en fixant la perruque. Meyer ne leva même pas les yeux.

– Ça mord ? demanda Brown.
– Il l'a louée dans un chenil, dit Kling.
– Ha-ha ! fit Meyer.
– Tu la coiffes ou tu la secoues simplement ?
– Vous êtes très marrants, les gars, marmonna Meyer.

Toute la matinée, il n'avait cessé de penser à ce qui se passerait à son arrivée au commissariat. Il savait ce qui l'attendait et il aurait préféré affronter un pilleur de banques armé d'un fusil à canon scié que les plaisantins du 87e.

– Il paraît que les gars des Explosifs sont passés ? demanda Brown.

« Ouf ! soupira intérieurement Meyer. Ils me lâchent un peu. »

(1) *Brown* : brun. *(N.d.T.)*

– Fausse alerte, répondit Carella. Tu sais, Meyer, tu devrais te faire des tresses.

– Tu peux la porter en calotte quand tu vas au bal du gouverneur, recommanda Kling.

– Bande d'antisémites ! rétorqua Meyer, qui finit par rire avec ses collègues.

– Tu as vu la photo ? demanda Carella à Brown.

– Quelle photo ?

– Dans le paquet que les gars de la B.E. ont ouvert, il y avait un sac, pas une bombe, expliqua Kling. Celui de la victime

– Sans blague ? dit Brown.

– Il y avait une carte d'étudiante, avec sa photo, ajouta Carella.

Les policiers se regardèrent. Ils pensaient tous la même chose : celui qui avait pendu la fille au réverbère *voulait* que la police l'identifie. Au cours des trois derniers jours, ils avaient parcouru la ville à la recherche d'un indice qui leur fournirait un point de départ, et quelqu'un leur avait simplifié la tâche en leur envoyant le sac de la morte. Ils ne connaissaient qu'une seule personne au monde qui pût désirer leur faciliter les choses – du moins, en apparence – mais aucun d'eux ne voulait prononcer son nom.

– Quelqu'un a peut-être trouvé le sac, supputa Brown.

– Il a lu l'affaire dans les journaux, il nous a envoyé le sac, poursuivit Kling.

– Pour ne pas être mêlé à cette histoire, enchaîna Meyer.

– Dans cette ville, personne ne veut d'histoires avec la police, reprit Brown.

– Peut-être, dit Carella.

Mais tous pensaient au Sourd.

Le médecin chargé de l'autopsie avait confirmé et développé le premier diagnostic de Blaney : la mort avait été causée non seulement par dislocation et fracture des vertèbres cervicales supérieures mais aussi par écrasement du cordon médullaire, comme cela se passe généralement dans les exécutions légales par pendaison. Mais dans la suite de son rapport, le médecin estimait que la mort était survenue *huit heures avant* que Carella et Genero ne découvrent le corps.

Au cours d'une conversation téléphonique avec Carella, il suggéra que la victime avait été tuée ailleurs – soit par pendaison, soit par un autre moyen provoquant une fracture des vertèbres et un écrasement du cordon médullaire –, puis transportée là où elle avait été découverte. Il avait pris garde de ne pas dire « sur le lieu du crime », car, pour lui, le véritable lieu du crime n'était pas la rue déserte aux immeubles abandonnés où on l'avait trouvée. Cela cadrait avec les propres réflexions de Carella : ni lui ni Genero n'avaient vu de cadavre pendu à un réverbère lorsqu'ils étaient arrivés sur le chantier.

L'adresse indiquée sur la carte d'étudiante de la morte étayait l'hypothèse selon laquelle elle avait été tuée ailleurs et portée ensuite dans le secteur des veinards du 87e. La fille avait habité un quartier situé à six kilomètres à l'ouest du territoire du commissariat, dans une partie de la ville où florissait l'industrie vestimentaire. Fringues-city, comme on l'appelait familièrement, avait pour noyau les ateliers et les boutiques qui fournissaient en prêt-à-porter le reste de la nation et de nombreux pays du monde non communiste. Mais au nord des fabriques, les vieux immeubles avaient été rasés pour faire place à des résidences luxueuses et à des restaurants chers, attirant une clientèle de membres du *show-biz* qui préféraient vivre près des théâtres et appelaient joyeusement leur nouveau quartier non plus Fringues-city mais Dingues-city.

Lorsque Carella et Hawes s'y rendirent (ce matin-là, Genero avait la chance de témoigner au tribunal contre un vendeur de saucisses chaudes qu'il avait arrêté pour défaut de licence), il faisait une de ces éclatantes journées dont octobre gratifiait souvent les citoyens de la ville. Les deux hommes étaient contents d'avoir quitté le commissariat. Par un temps pareil, on ne pouvait s'empêcher de tomber à nouveau amoureux de sa cité.

La fille – qui, selon ses papiers, aurait bientôt eu vingt et un ans – avait vécu dans un des immeubles vétustes épargnés par les démolisseurs, un édifice de brique rouge de cinq étages noirci par la suie et la crasse des ans. Sans veste ni chapeau, Carella et Hawes gravirent le perron, sonnèrent chez le gardien.

– Qu'est-ce que tu penses de la perruque de Meyer ? demanda Carella.

– Il a une moumoute ? Tu rigoles ?

– Tu ne l'as pas vue ?

– Non. C'est vrai ? Tu sais pourquoi on ne peut pas toujours couper les cheveux d'une perruque ? dit Hawes au moment où la porte s'ouvrait.

La fille qui se tenait devant eux mesurait trois mètres – ou du moins elle en donnait l'impression. Les deux policiers, qui n'étaient pourtant pas des nabots, durent lever les yeux pour la regarder. Elle avait une vingtaine d'années, des cheveux châtains coupés court, des yeux marron lumineux et un mince visage de louve. Elle portait un jean, un maillot de l'université Ramsey et un sac en toile sur lequel était écrit SAC À LIVRES.

– Police, annonça Carella en montrant sa plaque. Nous cherchons le gardien.

– Il n'y en a pas, répondit la fille.

– Je viens de sonner chez lui, répliqua Hawes.

– Ce n'est pas parce qu'il y a une sonnette marquée *Gardien* qu'il y en a un, riposta l'étudiante en se tournant vers Hawes.

L'inspecteur crut l'entendre penser : « Trop petit, trop vieux et probablement trop bête. » Il faillit hausser les épaules.

– Cela fait plus d'un an qu'il n'y a plus de gardien, poursuivit la fille.

Et comme les habitants de la ville ne manquaient jamais une occasion de railler les flics, elle ajouta :

– C'est peut-être pour cette raison que nous avons tant de vols.

– Ce n'est pas notre secteur, se défendit Hawes.

– Alors qu'est-ce que vous faites ici ?

– Vous habitez l'immeuble, mademoiselle ? demanda Carella.

– Naturellement. Vous m'avez prise pour le livreur de l'épicerie ?

– Vous connaissez une locataire nommée Marcia Schaffer ?

– Bien sûr. Elle habite au 3 A. Montez donc lui parler, moi je suis en retard.

– Quand l'avez-vous vue pour la dernière fois ?

– Jeudi. A la fac.

– Université Ramsey ? fit Hawes en regardant le maillot de la fille.

– Brillante déduction, ironisa-t-elle.

– Vous suiviez les mêmes cours ?

– Un autre cigare pour le monsieur !

– Depuis combien de temps la connaissiez-vous ? intervint Carella.

– Depuis ma première année de fac. Je suis en troisième année, maintenant. Elle aussi.

– Elle est originaire de cette ville ?

– Non. D'un petit bled du Kansas. Pétaouchnoque.

– Et vous ? voulut savoir Hawes.

– Moi je suis née et j'ai grandi ici.

– Ça se sent. Que portait-elle jeudi dernier, quand vous l'avez vue ?

– Un survêtement. Nous faisions de la course à pied toutes les deux.

– Quelle heure était-il ?

– Quatre heures environ, nous étions à l'entraînement. Pourquoi ?

– Vous l'avez revue, après ?

– Nous sommes rentrées ensemble en métro. Dites, qu'est-ce... ?

– Et plus tard ?

– Non.

– L'avez-vous vue quitter l'immeuble jeudi soir ?

– Non.

– Quel appartement habitez-vous ?

– Le 3 B.

– Près du 3 A, celui où elle vivait ?

– Elle y *vit encore*.

– Avez-vous vu ou entendu quelqu'un lui rendre visite jeudi soir ?

– Non. Pourquoi me posez-vous toutes ces questions ?

Carella prit une profonde inspiration avant de répondre :

– Marcia Schaffer est morte.

– Ne soyez pas stupide, répliqua la fille.

Les deux inspecteurs la regardèrent.

– Marcia n'est pas morte, poursuivit-elle.

Ils continuèrent à la regarder en silence.

– Ne soyez pas stupide, répéta-t-elle.

– Pouvez-vous me donner votre nom, mademoiselle ? demanda Carella.

– Jenny Compton, répondit la fille, ajoutant aussitôt : Mais Marcia n'est pas morte, vous vous trompez.

– Miss Compton, nous sommes à peu près certains que la victime...

– Non, dit Jenny en secouant la tête.

– Nous avons sa photo...

– Elle n'est pas morte, s'obstina Jenny.

– Est-ce bien Marcia Schaffer ? demanda Carella en montrant un agrandissement d'une des photos prises par l'E.P.

Jenny Compton recula, comme si on l'avait frappée au visage.

– Est-ce bien Marcia Schaffer ? répéta Carella.

– Ça lui ressemble, mais Marcia n'est pas morte.

– Et là, c'est elle aussi ? fit Carella en montrant la photo de la carte d'étudiante.

– Oui, c'est Marcia mais...

– Voyez l'adresse...

– Elle habite bien ici, mais je sais qu'elle n'est pas morte.

– Miss Compton...

– Je l'ai vue jeudi après-midi, bon Dieu ! Elle ne peut pas...

– Elle a été tuée jeudi soir...

– Je ne veux pas qu'elle soit morte ! s'écria Jenny, qui éclata soudain en sanglots. Merde, pourquoi êtes-vous venus ici ?

Elle mesurait trois mètres, elle avait une vingtaine d'années, la langue déliée et l'esprit moqueur des citadins, mais c'était une gosse qui pleurait, la main droite couvrant son visage, la gauche serrant son sac. Elle sanglotait sans pouvoir s'arrêter sous les yeux des deux inspecteurs qui la regardaient sans mot dire, gênés et impuissants devant cette petite fille lâchant la bonde à son chagrin.

Ils attendirent.

C'était une si belle journée.

– Ah ! merde, finit par marmonner Jenny. Ce n'est pas vrai, n'est-ce pas ?

– Je suis désolé, dit Carella.

– Comment... comment... ?

Elle renifla, prit dans son sac un mouchoir en papier, s'en tamponna les yeux.

– Comment est-ce arrivé ?

Les gens ne pensaient jamais à un meurtre mais à un accident : une voiture dans la rue, une bousculade dans le métro, une chute dans une cage d'ascenseur – c'était fréquent. Et lorsqu'on précisait que la personne avait été tuée, qu'il y avait eu meurtre, ils pensaient d'abord à un revolver, un couteau. Comment expliquer à une jeune fille de vingt ans soufflant dans un mouchoir en papier que son amie avait été retrouvée pendue à un réverbère ?

– Fracture des vertèbres cervicales, répondit Carella, se réfugiant derrière le rapport du médecin. Ecrasement du cordon médullaire.

– Mon Dieu ! s'écria Jenny.

Carella n'avait pas laissé entendre qu'il y avait eu meurtre, mais en scrutant le visage du policier, l'étudiante songea que deux inspecteurs ne seraient pas venus lui poser des questions s'il y avait seulement eu accident.

– Quelqu'un l'a tuée, n'est-ce pas ?

– Oui.

– Quand ?

– Jeudi soir. Vers sept heures, d'après le médecin légiste.

– Mon Dieu !

– Vous ne l'avez pas vue du tout jeudi soir ? demanda Hawes.

– Non.

– Vous avait-elle confié ses projets pour la soirée ?

– Non... Où est-ce arrivé ?

– Nous l'ignorons.

– Mais où l'avez-vous trouvée ?

– Dans le centre.

– Dans la rue ? Quelqu'un l'a attaquée dans la rue ?

Carella poussa un soupir.

– Elle était pendue à un réverbère.

– O ! mon Dieu ! s'écria Jenny Compton qui se remit à sangloter.

4

Daniel McLaughlin était un petit homme rond approchant de la soixantaine. Vêtu d'un pantalon de toile noire, d'une veste de sport criarde, d'une chemise couleur pêche et d'une cravate qu'on eût dite dessinée par Jackson Pollock (et rendue plus abstraite encore par diverses taches de nourriture), il portait un chapeau de paille marron à bord étroit dont la plume était assortie à la chemise. Le visage marbré et couvert de sueur, il semblait hors d'haleine quand il se dirigea vers les policiers qui l'attendaient sur le perron. Ses petits yeux marron les examinèrent brièvement puis se portèrent sur les poubelles débordantes alignées le long de la grille entourant une sorte de terrasse en contrebas du trottoir. Il parut ravi du tableau.

Les deux inspecteurs avaient appris de Jenny Compton que Marcia Schaffer avait emménagé dans son appartement à loyer contrôlé deux ans plus tôt, à peu près à la même époque que Jenny, quand les deux filles, toutes deux boursières, avaient commencé leurs études de sport à l'université Ramsey. Auparavant, Marcia avait effectivement vécu au Kansas, pas à Pétaouchnoque (comme Jenny l'avait prétendu quand sa joie de vivre n'avait pas encore été éteinte par l'annonce d'une mort violente), mais dans une petite ville nommée Manhattan.

Selon Jenny, le propriétaire de l'immeuble – le Daniel McLaughlin admirant présentement les saletés tombant de ses poubelles – essayait depuis plus d'un an de vider l'immeuble de ses locataires pour pouvoir diviser les vastes appartements anciens en unités plus petites et en tirer ainsi de plus gros revenus. Jusqu'à présent, il avait en grande partie échoué. Hormis une petite vieille partie en maison de retraite, les occupants avaient fermement refusé de quitter un quartier soudain devenu chic où ils payaient des loyers impossibles à retrouver ailleurs que dans les zones les plus insalubres de la ville – qui n'en manquait pas. Pour déloger ses locataires, McLaughlin avait d'abord mis le gardien à la porte puis avait entrepris de s'occuper lui-même de l'entretien de l'immeuble, ce qui s'était traduit par divers phénomènes témoignant de son sens créatif : coupures d'eau aux moments les plus inattendus, ordures non ramassées, chauffage non rétabli le 15 octobre comme le voulait la loi dans cette ville.

– C'est vous les inspecteurs ? demanda McLaughlin en montant les marches.

– Mr. McLaughlin ? dit Carella.

– Ouais, répondit l'homme sans tendre la main. Je tiens à vous dire que je n'apprécie pas beaucoup de devoir traverser la ville pour vous donner une clé.

– C'est le seul moyen d'entrer dans l'appartement, expliqua Hawes.

Ils lui avaient téléphoné juste avant de manger dans une gargote – alors que le quartier regorgeait de bons restaurants. En avalant son hamburger et ses frites, Carella avait pensé que le régime alimentaire d'un flic pendant ses journées de travail n'avait rien à voir avec la gastronomie.

– D'abord, je n'aime pas cette histoire d'assassinat, dit McLaughlin. Personne ne voudra de l'appartement quand on saura qu'une morte y a vécu, grommela-t-il sans prendre conscience de l'absurdité de sa phrase.

– Un meurtre pose parfois des problèmes, soupira Carella.

– Ouais, acquiesça le propriétaire, à qui l'ironie de l'inspecteur avait échappé. Enfin, j'ai la clé, allons-y. J'espère que ça ne prendra pas trop longtemps.

– Une ou deux heures, annonça Hawes. Vous n'êtes pas obligé de rester : si vous nous laissez la clé, nous nous arrangerons pour vous la rendre.

– Sûrement, grogna McLaughlin d'un ton insinuant que tous les flics de la ville étaient des voleurs. Bon, je vous conduis là-haut, venez.

Les policiers le suivirent à l'intérieur de l'immeuble et dès le petit vestibule, il leur sauta aux yeux que Jenny Compton leur avait dit la vérité. Une applique sans ampoule et à moitié décrochée pendait sur un mur, les serrures de plusieurs boîtes aux lettres étaient cassées ; la vitre de la porte intérieure était fendue et la poignée ne tenait plus que par une vis. Ils virent d'autres preuves des tentatives de McLaughlin de rendre la vie difficile à ses locataires obstinés dans le linoléum usé et sale de l'escalier, les fenêtres aux vitres crasseuses à chaque palier, la rampe branlante, les fils électriques dénudés. Carella se demandait pourquoi quelqu'un de l'immeuble n'avait pas prévenu les services du médiateur. Il échangea un regard avec Hawes, qui hocha tristement la tête.

McLaughlin s'arrêta devant la porte du 3 A, pêcha la clé dans sa poche, ouvrit la porte puis regarda alternativement les deux policiers, comme s'il prenait leur mesure.

– Ecoutez, j'ai d'autres choses à faire. Si je vous laisse la clé, vous me la rendrez *vraiment* ?

– Parole de scout, jura Hawes, impassible.

– Vous savez où me joindre puisque vous m'avez téléphoné, reprit McLaughlin en lui remettant la clé. Je précise que je ne serai pas responsable des dommages que vous pourriez causer, au cas où les parents de la fille se plaindraient.

– Nous ferons attention, promit Carella.

– N'oubliez surtout pas de me rendre la clé.

– On vous l'enverra, assura Hawes.

– J'espère bien, grommela McLaughlin, qui descendit l'escalier en secouant la tête.

– Un homme charmant, commenta Carella.

– Tout à fait, approuva Hawes.

Ils pénétrèrent dans l'appartement qui, comme l'avait indiqué Jenny Compton, était plus spacieux que la plupart de ceux des constructions nouvelles de la ville. La porte s'ouvrait sur une grande entrée conduisant à une vaste salle de séjour. Les pièces paraissaient plus immenses encore qu'elles ne l'étaient du fait de la rareté des meubles, prévisible chez une étudiante boursière. Deux fauteuils sans doute achetés d'occasion faisaient face au sofa poussé contre un mur. Par les fenêtres aux dimensions imposantes, séparées par une rangée de plantes vertes, la lumière d'octobre inondait la pièce. Hawes s'approcha, tâta la terre d'un des pots : on ne l'avait pas arrosé depuis quelques jours.

– Tu crois que McLaughlin aurait pu tenir *à ce point* à récupérer son appartement ? demanda-t-il.

Carella secoua la tête :

– Celui qui l'a pendue devait être costaud.

– Gros ne veut pas dire mou.

– Il te fait l'effet d'un assassin ?

– Non. Même s'il tient beaucoup à virer ses locataires.

– On devrait mettre quelqu'un sur l'affaire, suggéra Carella. Je n'aime pas voir gagner ce genre de salaud.

– Tu as des relations à la mairie ?

– Rollie Chabrier en a peut-être.

– Ouais, peut-être.

C'était un district attorney adjoint avec qui les deux hommes avaient travaillé par le passé. Ils parcouraient à présent la salle de séjour sans rien chercher de particulier, flairant çà et là comme des animaux sauvages pénétrant dans un territoire non familier. Le médecin légiste ayant avancé l'hypothèse que Marcia Schaffer avait été tuée ailleurs qu'à l'endroit où on l'avait découverte, il n'était pas exclu qu'elle ait été assassinée dans son appartement – bien que, à première vue, on n'y décelât aucune trace de lutte violente. Pourtant la question leur trottait dans la tête et ce fut finalement Hawes qui l'exprima :

– Tu ne penses pas qu'il faudrait faire venir l'équipe du labo avant de toucher à quoi que ce soit ?

Carella réfléchit puis répondit :

– Il vaut mieux les appeler.

Il alla au téléphone, enveloppa sa main de son mouchoir pour décrocher et composa le numéro en glissant le bout d'un crayon dans les trous du cadran.

Les techniciens arrivèrent vingt minutes plus tard et commencèrent par examiner les lieux comme Carella et

Hawes l'avaient fait avant eux, flairant dans les coins, reniflant l'atmosphère. En les attendant, les deux inspecteurs n'avaient touché à rien, ils ne s'étaient même pas assis.

– On est les premiers ? demanda un des techniciens.

Carella se souvint qu'il s'appelait Joe. Joe quelque chose.

– Nous sommes là depuis une demi-heure.

– Non, je veux dire à part vous et nous.

– Alors il n'y a eu personne.

– Touché à rien ? demanda l'autre technicien, que Carella ne connaissait pas.

– Rien. Sauf la poignée de la porte, à l'extérieur.

– Vous voulez le grand jeu ? reprit le nommé Joe. Poussière, aspirateur ? Le boulot à douze quatre-vingt-quinze ?

– Au lieu de treize cinquante, ajouta son collègue en souriant.

– Nous ne sommes pas sûrs que ce soit le lieu du crime, déclara Carella.

– Alors, qu'est-ce qu'on fout là ? demanda Joe.

– Ça l'est peut-être, expliqua Hawes.

– Alors prenez le boulot à deux dollars, conseilla l'autre technicien.

– Un seul passage rapide, reprit Joe. Superficiel mais *complet*.

Il pointa le doigt en l'air pour appuyer sa remarque.

– Il vaut mieux leur filer des gants, suggéra son collègue.

Joe tendit à Carella une paire de gants de coton blanc en disant :

– Au cas où vous auriez envie de jouer au détective.

Il en remit une autre paire à Hawes et les deux inspecteurs les enfilèrent sous le regard des techniciens.

– Puis-je avoir la première danse ? minauda Joe.

Puis il entraîna son copain vers l'escalier pour descendre prendre dans la camionnette le bric-à-brac dont ils auraient besoin pour passer l'appartement au peigne fin.

Sur la cheminée, en face du sofa, divers trophées attestaient des qualités sportives de Marcia Schaffer : une coupe et un plat en argent, plusieurs médailles, toutes gagnées lorsqu'elle était dans l'équipe de course à pied de son lycée. L'inscription gravée sur le plat en argent indiquait qu'elle avait battu trois ans plus tôt le record de l'Etat du Kansas. Une photo encadrée d'un couple âgé – probablement les parents de la fille – rappela à Carella qu'il n'avait pas encore téléphoné à Manhattan, Kansas. Cette corvée ne l'enchantait guère, il s'en occuperait plus tard.

Les techniciens étaient de retour et Joe lança à l'inspecteur :

– Vous n'avez pas foutu la merde, hein ?

– C'est un meurtre ou quoi ? demanda son collègue en posant son matériel sur le sol.

– Un meurtre, oui.

– On a déjà pris les empreintes du macchab ? Au cas où on en trouverait d'autres...

– On les a prises.

– Des traces d'effraction ?

– Je n'en ai pas vu.

– On laisse tomber les appuis de fenêtre, alors ?

– Comme vous voudrez, dit Carella.

– On cherche quoi, au juste ?

– Des traces éventuelles du passage de quelqu'un d'autre.

Joe secoua la tête d'un air désapprobateur mais se mit au travail et son collègue entreprit de saupoudrer le dessus de cheminée en sifflant.

Un encadrement sans porte conduisait à la seule chambre de l'appartement, vaste pièce au plafond haut ayant elle aussi d'immenses fenêtres donnant sur la rue. En face du lit, une commode en bois blanc ; dans un coin, un bureau. Les murs étaient ornés de fanions de l'université Ramsey, de photos de Marcia Schaffer en tenue de sport, éclatante de santé et de vie. Sur l'une d'elles, elle courait cheveux au vent, bouche ouverte, aspirant l'air goulûment en cassant le fil de la ligne d'arrivée. Une veste de survêtement grise portant le nom de l'université était accrochée au dossier d'une chaise. Il y avait des livres ouverts sur le bureau, une feuille de papier dans la machine à écrire. Carella y jeta un œil : Marcia préparait un exposé pour le cours d'anthropologie.

Dans le placard de la chambre, les deux policiers trouvèrent une garde-robe peu fournie : quelques robes et jupes, des pulls, une parka, un imperméable, des jeans. Ils fouillèrent toutes les poches – rien ; ils secouèrent mocassins et chaussures à hauts talons – rien ; ils ouvrirent la valise rangée sur l'étagère du placard – vide. Ils inventorièrent méthodiquement les tiroirs de la commode : soutiens-gorge et panties, combinaisons et pulls, blouses et collants, chaussettes et bas. Dans un coin du tiroir du haut, ils dénichèrent une boîte de pilules contraceptives.

Ils retournèrent dans la salle de séjour où travaillaient les techniciens, fouillèrent les tiroirs du bureau, cherchèrent en vain un agenda où la fille aurait noté ses rendez-vous. Ils mirent la main sur un petit carnet relié cuir contenant des noms, des adresses, des numéros de téléphone. Marcia Schaffer avait apparemment connu pas mal de gens mais la plupart étaient des femmes, et ni Carella ni Hawes ne croyaient une femme assez forte pour hisser le cadavre de la fille à huit mètres au-dessus du sol. A la lettre *S* du calepin, Carella trouva le nom *Schaffer*, sans prénom ni adresse, avec juste un numéro de téléphone précédé du code 316. Le policier était prêt à parier que c'était celui de Manhattan, Kansas. Il devrait tôt ou tard téléphoner aux parents, il devrait leur annoncer la mort de leur fille chérie.

Carella poussa un profond soupir et Hawes, qui examinait des morceaux de papier trouvés dans la corbeille, lui demanda :

— Tu as quelque chose ?

— Non, non.

La plupart des feuilles jetées à la corbeille étaient des notes manuscrites que Marcia Schaffer avait prises pour son exposé mais il y avait aussi une liste de courses à faire chez l'épicier, une lettre s'arrêtant à la première phrase : *Chers parents, cela m'embête beaucoup de vous redemander de l'argent si vite...*

Les inspecteurs passèrent dans la salle de bains où des culottes de coton blanc séchaient sur la tringle du rideau de douche. Une boîte ouverte de serviettes hygiéniques superabsorbantes était posée sur le bord du lavabo, sous le miroir. Carella s'efforça de se rappeler si le médecin légiste avait parlé de règles et eut soudain l'impression de faire intrusion dans la vie privée de Marcia Schaffer. Il ne voulait pas être au courant de détails aussi personnels que des dates de menstruation. Mais il y avait une serviette hygiénique souillée dans la poubelle placée sous le lavabo. Il ouvrit l'armoire à pharmacie tandis que Hawes examinait le contenu du sac à linge sale.

— Taches de sang, annonça-t-il.

— Elle avait ses règles.

— Il vaut quand même mieux faire vérifier par le labo.

— Ouais, approuva Carella.

Hawes roula le sous-vêtement maculé en boule, sortit de la salle de bains pour demander aux techniciens ce qu'il devait faire du linge sale. Ils lui répondirent de le fourrer dans une taie d'oreiller. Dans l'armoire à pharmacie, Carella trouva les habituels médicaments délivrés sans ordonnance, des peignes, des brosses, du shampooing, des bandes — probablement parce que Marcia était sujette aux claquages. Rien d'intéressant.

Carella referma la porte, tourna la tête, vit un peignoir accroché à un portemanteau. C'était un vêtement épais de couleur bleu marine dont l'étiquette indiquait qu'il avait été acheté dans un grand magasin de la ville.

Pure laine vierge, grande taille. Une des poches était vide, l'autre contenait un paquet de Marlboro presque plein et un briquet en or, que Carella glissa dans une enveloppe. Comme Hawes revenait dans la salle de bains avec une taie d'oreiller ornée de petites fleurs bleues, il lui demanda :

– Il y avait des cigarettes dans son sac ?

– Quoi ?

– Le sac à main de la fille. Tu te souviens s'il y avait des cigarettes ?

– Non. C'était une sportive.

– C'est bien ce que je me disais.

– Pourquoi ? Tu as quelque chose ?

– Un paquet de Marlboro et un briquet Dunhill.

Hawes cessa d'entasser le linge sale dans la taie, leva les yeux.

– C'est un peignoir d'homme, non ?

– Ça en a l'air.

– Elle mesurait combien ?

– Un mètre quatre-vingts.

– Ça ne pourrait pas être le sien ?

– Il est vraiment grand, fit remarquer Carella.

– De toute façon, on l'envoie au labo.

Les techniciens s'affairaient encore dans la salle de séjour quand les inspecteurs vinrent leur rendre les gants de coton. Par-dessus le bourdonnement de l'aspirateur, Joe lança à son collègue avec un clin d'œil :

– On fait seulement la demi-journée, aujourd'hui ?

– Quand pensez-vous avoir fini ? demanda Carella.

– Ah ! une ménagère n'a jamais fini, se lamenta l'autre technicien.

– Vous pouvez fermer et nous ramener la clé ?

– La ramener *où* ?

– Au 87, dans le centre.

– Toute la ville à traverser ! protesta le copain de Joe. Tu veux t'occuper de la clé, Joe ?

– Sûrement pas !

– Alors, téléphonez-nous quand vous aurez presque

terminé, suggéra Hawes. Nous enverrons un agent la prendre.

– Ils livrent à domicile, au 87, dit Joe en adressant un nouveau clin d'œil à son collègue. C'est quoi, le numéro du 87 ?

– 377-8024, répondit Hawes.

Joe arrêta l'aspirateur, se tapota les poches.

– Qui a un crayon ? dit-il.

Hawes inscrivait déjà son nom et le numéro du commissariat sur une page de son carnet. Il la détacha, la tendit à Joe en déclarant :

– Demandez Hawes ou Carella.

– *Horse ?* s'exclama l'autre technicien. Hé, Joe, on a *a man called Horse* (1) avec nous.

– Z'avez du sang indien ? demanda Joe.

– Je suis mohawk pur sang, mentit Hawes.

Joe regarda la page de calepin arrachée.

– C'est comme ça que ça s'écrit en mohawk ?

– C'est comme ça que mon père l'a toujours écrit. Cerf Agile Hawes, il s'appelait.

– Et vous, c'est quoi votre nom indien ?

– Grand Taureau Pétant, lâcha Hawes avant de sortir à la suite de Carella.

Dans le couloir, celui-ci demanda :

– Dis, tu ne m'as pas expliqué pourquoi on ne peut pas toujours couper les cheveux d'une perruque.

– Parce que les faux tifs ne sont pas toujours coupables.

– Oh ! la, la ! fit Carella.

Il courait dans le soleil couchant.

Il avait quitté son appartement à dix heures quinze, pris la voiture et s'était garé dans Grover Avenue, devant le parc, moins de dix minutes plus tard. A cette heure de la journée, les mères poussant leur landau

(1) *Un homme nommé cheval,* film racontant l'histoire d'un lord anglais capturé par les Indiens et devenu leur esclave. *(N.d.T.)*

avaient presque toutes déserté le parc, l'abandonnant aux gosses qui jouaient au football, aux amoureux qui se promenaient main dans la main, aux vieux qui lisaient leur journal sur un banc.

Quelle belle journée !

A six heures moins le quart, il faisait encore assez clair pour qu'il pût voir tous les tournants de l'allée dans laquelle il courait. C'était loin d'être une piste en cendrée, mais cela valait mieux que rien dans cette ville de béton et d'acier. A la fin du mois, il commencerait à faire noir vers cinq heures, mais en attendant, il y avait des lueurs mourantes du soleil et un ciel bleu sans nuages. Il aimait octobre, il aimait cette ville en octobre.

Il courait à un rythme régulier sans avoir rien à gagner ni personne à battre, pas même la montre. « De l'exercice, c'est tout », pensa-t-il. Il courait dans l'allée d'un parc pour se donner de l'exercice, dans l'anonymat, silhouette mince et grande vêtue d'un survêtement gris dépourvu d'inscription. Il courait d'une foulée régulière et facile qui l'apaisait et le réconfortait, comme l'apaisait de savoir ce qu'il avait fait et continuerait à faire.

Il cessa de courir lorsqu'il arriva devant le commissariat qui se dressait de l'autre côté de la rue, derrière le mur bas bordant le parc. Dans la lumière du crépuscule, il distingua les chiffres 8 et 7 peints en blanc sur les globes verts flanquant le perron de l'entrée. Deux hommes en civil pénétrèrent dans l'immeuble et il se demanda si c'étaient des flics ou de simples citoyens venus déposer une plainte.

Il se demanda aussi si son petit paquet était déjà arrivé.

Il l'avait posté le samedi, après avoir traversé la ville en métro pour le glisser dans une boîte aux lettres de Calm's Point. Le paquet était assez plat pour cela, il y avait pris garde. Il l'avait aussi pesé chez lui afin d'être certain de l'affranchir suffisamment. En tout cas, on ne pouvait le lui renvoyer parce qu'il n'avait pas indiqué d'adresse d'expéditeur. C'était pour cette raison qu'il ne l'avait pas porté à la poste : il n'avait pas voulu courir le risque de tomber sur un crétin d'employé qui aurait refusé le paquet parce qu'il y manquait l'adresse et le nom de l'expéditeur. Il aurait dû expliquer qu'il voulait faire une surprise, ou quelque chose de ce genre – c'était trop compliqué. De plus, l'employé se souviendrait peut-être de lui. Non, c'était plus simple de le jeter dans une boîte. Il ne voulait pas qu'on se souvienne de lui pour le moment. Plus tard, les gens auraient tout le temps de se rappeler qui il était.

Normalement, le paquet avait dû arriver aujourd'hui.

Recevoir son sac à main, comme ça, par la poste...

Il sourit en pensant à la tête qu'ils avaient dû faire.

La prochaine fois, il laisserait peut-être sur les lieux mêmes de quoi procéder à une identification. Ce serait plus facile pour eux, ils connaîtraient tout de suite l'identité de la victime. Il laisserait les papiers sur le trottoir, sous le réverbère. Mais il ne fallait pas non plus *trop* leur faciliter la tâche avant que l'affaire ne prenne de l'ampleur. Les journaux de vendredi avaient à peine parlé de la morte : rien du tout dans la presse du matin et pas de gros titre à la une de la feuille à scandale de l'après-midi. On avait relégué l'article en page huit. Une histoire pareille, une fille pendue à un réverbère ! La prochaine fois, les journalistes établiraient un lien avec la première affaire. Les flics aussi, à moins qu'ils ne soient encore plus bêtes qu'il ne le pensait. Des gros titres la prochaine fois, c'était certain.

Il jeta un dernier coup d'œil au commissariat puis se remit à courir, en souriant.

« Bientôt », pensait-il.

Bientôt on saurait qui il était.

Les deux femmes se mesuraient du regard.

On avait dit à Annie Rawles qu'Eileen Burke était le meilleur appât des Forces spéciales ; on avait informé Eileen Burke qu'Annie Rawles, flic coriace de la Brigade des viols, avait travaillé auparavant sur des affaires de vol et descendu deux truands en train de braquer une banque. Annie avait devant elle une femme d'un mètre quatre-vingts avec de longues jambes, de beaux seins, des hanches évasées, des cheveux roux et des yeux verts. Eileen regardait une femme aux yeux couleur de terre glaise derrière des lunettes qui lui donnaient un air intellectuel, avec des cheveux courts couleur de nuit, des seins ronds et fermes, un corps mince de garçon. Eileen estima qu'elles devaient avoir le même âge, à un an près. Elle se demandait comment cette fille aux allures de comptable avait pu dégainer son revolver de service et abattre deux malfrats prêts à défendre cher leur peau car ils risquaient vingt ans de prison.

– Qu'en pensez-vous ? demanda Annie.

– Vous dites que ce n'est pas le seul cas ? fit Eileen.

Elles continuaient à se toiser. L'inspectrice des Forces spéciales songeait qu'elle n'avait pas le choix : si Annie Rawles l'avait réclamée et si le lieutenant l'avait mise sur l'affaire, c'était cuit, ils avaient tous deux un grade supérieur au sien. Annie se demandait si Eileen était aussi bonne qu'on le prétendait. Elle faisait à son goût un appât un peu voyant. En la regardant trottiner sur ses hauts talons, la poitrine frémissante, les candidats violeurs comprendraient aussitôt qui elle était et prendraient leurs jambes à leur cou. Le violeur qu'ils recherchaient était un cas très spécial, il ne fallait pas tout gâcher avec du travail d'amateur.

– Trois femmes déclarent avoir été violées plus d'une fois par ce même type. Le signalement correspond à chaque fois, dit Annie. Il y en a peut-être d'autres, nous n'avons pas encore interrogé l'ordinateur en prenant pour base le *modus operandi*.

– Vous le ferez quand ? demanda Eileen.

Elle aimait savoir avec qui elle travaillait, des gens compétents ou des incapables. Ce n'était pas Annie Rawles mais *elle* qui risquerait ses fesses dans la rue.

– Nous y travaillons en ce moment, répondit Annie.

Elle était contente qu'Eileen eût posé cette question.

Elle savait qu'elle lui demandait de s'exposer au danger. L'homme avait déjà donné un coup de couteau à l'une de ses victimes, dont il avait balafré le visage. En même temps, c'était le boulot. Si Eileen ne s'était pas plu dans les Forces spéciales, elle aurait demandé sa mutation. Annie ignorait qu'Eileen envisageait précisément de le faire mais pour une raison que l'inspectrice de la Brigade des viols n'aurait pas comprise.

– Dans toute la ville ou dans un endroit particulier ? demanda Eileen.

– N'importe où, n'importe quand.

– Je ne pourrai pas être partout.

– Il y aura d'autres « chèvres », mais ce que j'envisage pour vous...

– Combien ?

– Six, si je peux les obtenir.

– Moi comprise ?

– Oui.

– Qui sont les autres ?

– Voici leurs noms, si vous voulez regarder, dit Annie en tendant une feuille de papier.

Eileen la lut attentivement. Elle connaissait toutes les femmes de la liste : elles étaient toutes de bons éléments, une seule faisait exception. Elle s'abstint de tout commentaire, il ne servait à rien de dire du mal d'une collègue.

– Ça vous va ?

– Bien sûr...

Elle hésita puis ajouta avec tact :

– Connie manque un peu d'expérience. Il vaut mieux la garder pour un boulot moins compliqué. Elle est bonne, mais ce type a un couteau, dites-vous...

– Et il s'en est servi.

Les deux femmes savaient que « moins compliqué » était un euphémisme pour « moins dangereux ». Personne ne tenait à ce qu'une femme flic se fasse charcuter parce qu'elle ne saurait pas dominer la situation.

– Dans quels groupes d'âge se classent les victimes ?

– Les trois dont nous sommes sûrs... Attendez, fit Annie en consultant une autre feuille. Quarante-six... Vingt-huit... La dernière – Mary Hollings, celle de samedi soir – a trente-sept ans. Il l'a déjà violée trois fois.

– C'est le même homme, vous en êtes sûre ?

– D'après les signalements donnés.

– A quoi ressemble-t-il ?

– La trentaine, brun, des yeux bleus...

– Blanc ?

– Blanc. Environ un mètre quatre-vingt-quinze – cela varie entre un mètre quatre-vingt-dix et deux mètres. A peu près quatre-vingt-dix kilos, très musclé, très fort.

– Des signes particuliers ? Cicatrices, tatouages ?

– Les victimes n'ont rien remarqué.

– Le même type à chaque fois, murmura Eileen comme pour donner quelque crédibilité au fait. C'est inhabituel, non ? qu'un violeur reprenne la même victime ?

– Très. C'est pourquoi j'ai pensé...

– En général, les violeurs prennent n'importe qui, ça n'a rien à voir avec le désir.

– Je sais.

– Le fait qu'il ait des *favorites* ou je ne sais quoi ne cadre pas avec la psychologie du violeur.

– Je sais.

– Alors, quel est le plan ? Couvrir ces victimes ou quadriller leurs quartiers ?

– Nous ne pensons pas qu'elles ont été prises au hasard, affirma Annie. Voilà pourquoi j'aimerais que vous...

– Pas de quadrillages, alors ?

Rawles acquiesça.

– La dernière, Mary Hollings, est rousse.

– Oh ! je vois.

– A peu près de votre taille. Juste un peu plus petite. Combien mesurez-vous ? Un mètre quatre-vingt-cinq ?

– J'aimerais bien, dit Eileen en souriant. Je fais un mètre quatre-vingts.

– Elle mesure un mètre soixante-dix-sept.

– Même silhouette ?

– Je dirais épanouie.

– Je dirais bovine, corrigea Eileen avec le sourire.

– Sûrement pas, fit Annie en lui rendant son sourire.

– Vous voulez que je sois Mary Hollings, c'est ça ?

– Si vous pensez pouvoir passer pour elle.

– Vous la connaissez, moi pas.

– Il y a une assez bonne ressemblance. De près, il découvrira la supercherie tout de suite. Mais il sera trop tard.

– Où habite-t-elle ?

– 1840, Laramie Crescent.

– Dans le secteur du 87e ?

– Oui.

– J'ai un copain là-bas, dit Eileen.

« Toujours le même euphémisme, pensa Annie. Comment s'appelait-il, déjà, le grand blond ? King ? Herb King ? »

– Elle travaille, cette femme ? demanda Eileen. Parce que si elle bosse sur un terminal d'ordinateur ou quelque chose de ce genre...

– Elle est divorcée, elle vit de sa pension alimentaire.

– Veinarde. Il me faudra le détail de ses journées...

– Elle vous le donnera directement.

– Et nous la planquerons où, pendant ce temps-là ?

– Elle part après-demain pour la Californie. Elle a une sœur là-bas.

– Faites-lui mettre une perruque, au cas où il surveillerait l'appartement au moment de son départ.

– Je m'en occupe.

– Et les autres locataires de l'immeuble ? Ils verront bien que je ne suis pas...

– Vous pourriez vous faire passer pour sa sœur. Je doute qu'il parle à un des locataires.

– L'immeuble est protégé ?
– Non.
– Il y a un gardien ?
– Non.
– Juste les locataires et moi, alors ?
– *Et le type.*
– Et ses petits amis, les endroits où elle est connue ?
– Elle préviendra tout le monde qu'elle quitte la ville. Si on téléphone à l'appartement, vous êtes la sœur.
– Et si le *type* téléphone ?
– Jusqu'ici il ne l'a pas fait et nous ne pensons pas qu'il le fera. Ce n'est pas un de ces maniaques qui débitent des obscénités au téléphone.
– Autre psychologie, approuva Eileen.
– Vous irez partout où elle a l'habitude d'aller, nous ne croyons pas qu'il vous suivra à l'intérieur. Vous entrez, vous traînez, vous tuez le temps en vous faisant les ongles puis vous ressortez. S'il vous épie, il recommencera à vous filer dehors. Cela devrait marcher – du moins je l'espère.
– Je n'ai jamais opéré de cette façon.
– Moi non plus.
– Il faudrait comparer le cas de Mary Hollings avec ceux des deux autres victimes.
– Nous y travaillons en ce moment, répondit Annie. Jusqu'à présent, nous n'avions pas fait le rapprochement. Je veux dire...
Eileen sentit une faille dans le vernis de dureté de l'inspectrice.
– Les deux autres... reprit Annie Rawles d'une voix hésitante. Pour l'une, c'était à Riverhead, pour l'autre à Calm's Point – la ville est grande. Je n'ai pas fait le rapprochement avant samedi, après avoir parlé à Mary Hollings... Maintenant que nous savons qu'il s'attaque plusieurs fois aux mêmes victimes, nous cherchons des points communs aux trois femmes dont nous sommes sûrs qu'elles ont été violées par le même individu.
– Vous utiliserez l'ordinateur ?

– Pas seulement pour ces trois-là. Nous reprenons tous les viols signalés depuis le début de l'année. S'il y a d'autres victimes qui ont été violées plusieurs fois...

– J'aurai les résultats quand ?

– Dès qu'on me les communiquera, assura Annie.

– C'est-à-dire ?

– Je sais que c'est vous qui risquez votre peau, reprit d'une voix douce l'inspectrice de la Brigade des viols.

Eileen garda le silence.

– Je sais qu'il a un couteau, ajouta Annie Rawles.

Eileen ne dit rien.

– Je ne tiens pas plus à risquer votre vie que la mienne.

La femme flic des Forces spéciales imagina sa collègue face à deux braqueurs armés, dans le hall de marbre d'une banque.

– Je commence quand ? demanda-t-elle.

5

On trouva la seconde fille pendue dans West Riverhead.

Le 101e commissariat, qui reçut l'appel tôt dans la matinée du 14 octobre, n'avait pas un secteur de tout repos mais aucun des policiers qui y travaillaient n'avait vu auparavant de cadavre suspendu à un réverbère. Ils étaient sidérés et pourtant il en fallait beaucoup pour étonner les flics du 101.

West Riverhead était tout proche du pont de Thomas Avenue, qui le séparait d'Isola. Près d'un million de personnes habitaient de l'autre côté de ce pont, dans un quartier aussi lugubre et désolé qu'un paysage lunaire. Quarante-deux pour cent des habitants vivaient des secours octroyés par la ville et vingt-huit pour cent seulement de ceux qui étaient capables de travailler avaient un emploi. Six mille immeubles abandonnés, sans chauffage ni électricité, bordaient les rues jonchées de détritus. On estimait que dix-sept mille toxicomanes y trouvaient refuge quand ils ne maraudaient pas dans les rues, faisant concurrence aux meutes de chiens errants. Les statistiques pour West Riverhead étaient atterrantes : vingt-six mille trois cent quarante-sept nouveaux cas de tuberculose signalés l'année précédente ; trois mille quatre cent douze cas de malnutrition ; six mille cinq cent deux cas de maladies vénériennes. Sur cent bébés nés à West Riverhead, trois mouraient en bas âge et une vie de misère écrasante attendait ceux qui survivaient. Ce sont des coins comme West Riverhead qui permettent aux Russes de se gargariser de la supériorité du système communiste pour les masses. Comparé à celui de West Riverhead, le 87e commissariat était aussi tranquille qu'une ferme du Wisconsin.

Carella et Hawes se trouvaient dans ce quartier sinistre parce qu'un inspecteur futé du 101e s'était rappelé avoir lu quelque chose sur une fille pendue à un réverbère dans le secteur du 87e. Il avait aussitôt téléphoné aux policiers du centre pour les informer qu'on en avait trouvé une deuxième : aucun flic n'aurait voulu marcher sur les brisées d'un collègue et de toute façon, on n'avait certainement pas besoin d'une pendue à West Riverhead, où il y avait assez de crimes pour tenir les flics occupés vingt-quatre heures sur vingt-quatre. Original ? Emmerdant, oui. Les assassinats originaux, on s'en passait volontiers au 101e. Il valait mieux laisser le 87 ramasser les morceaux.

Carella et Hawes arrivèrent sur les lieux un peu après sept heures du matin.

L'équipe de la Criminelle était déjà venue et repartie. Dans cette ville, tout crime, petit ou grave, était confié au commissariat qui en avait été avisé à l'origine – à moins qu'un autre commissariat n'enquêtât déjà sur un crime manifestement lié à l'affaire. En cas de meurtre, la Brigade criminelle suivait attentivement l'enquête par-dessus l'épaule des inspecteurs du commissariat et donnait son avis au besoin, mais ceux-ci avaient la responsabilité de l'enquête, la Criminelle assurant la supervision. Carella et Hawes étaient les heureux responsables de l'affaire en cette autre magnifique journée d'octobre à vous fendre l'âme.

A leur arrivée, un inspecteur nommé Charlie Broughan, avec qui Carella avait travaillé sur une série d'assassinats liée à la guerre des gangs, se trouvait encore sur les lieux. On estimait que neuf mille jeunes appartenaient à une bande ou une autre dans le secteur du 101e, et c'était peut-être la raison pour laquelle Broughan avait l'air épuisé en permanence. Ou peut-être que faire partie de l'équipe des « fossoyeurs » était plus éprouvant à West Riverhead que dans n'importe quel autre quartier de la ville. Broughan semblait même plus fatigué encore que la dernière fois que Carella l'avait vu. C'était un grand costaud de flic avec une crinière de cheveux châtains rebelles et une barbe de deux jours, vêtu d'un blouson bleu clair, d'un pantalon de toile bleu foncé et chaussé de mocassins. Il reconnut aussitôt Carella, s'avança, lui serra la main, puis serra celle de Hawes après les présentations.

– Désolé de t'emmerder avec cette affaire, mais d'après le règlement, j'ai l'impression qu'elle te revient, déclara-t-il.

– Elle nous revient effectivement, dit Carella en levant les yeux vers le cadavre.

– La fois d'avant, c'était aussi une fille, hein ? demanda Broughan.

– Ouais.

– On ne l'a pas encore décrochée, tout le monde attend. On ne savait pas comment vous vouliez opérer.

– L'équipe mobile est là ? dit Hawes.

– Elle *était* là il y a deux minutes, répondit Broughan. Les gars sont sans doute partis se taper un jus.

– Il faut laisser le nœud comme il est, fit Carella. Il n'y aura qu'à couper la corde en son milieu.

– Je préviendrai les gars, promit Broughan.

Carella se félicitait qu'il n'y eût personne pour faire des commentaires sur la couleur des panties de la fille – qui étaient d'un bleu aussi électrique que le ciel au-dessus du réverbère. Il regarda Broughan s'approcher du car de police secours, dont les flics se mirent au travail. Ils prirent leur temps pour mettre l'échelle en place, tendre le filet et couper la corde : il était trop tôt pour se payer déjà une suée.

– Qui l'a découverte ? demanda Carella à Broughan.

– On a été prévenus par un honnête citoyen – dans le coin, ça tient du miracle. Il habite à quelques centaines de mètres d'ici, dans une zone qui n'a pas encore brûlé, et il partait au boulot en bagnole quand il l'a vue pendue au réverbère. Il nous a appelés, tu te rends compte ?

– Quelle heure était-il ? demanda Hawes.

– Six heures quatre. Je croyais en avoir fini, je tapais déjà mes rapports. Et bang ! un cadavre pendu à un réverbère ! grommela Broughan en tirant une enveloppe de sa poche. Tiens, on a trouvé ça sous la fille.

– Qu'est-ce que c'est ?

– Son portefeuille, je suppose. Je n'y ai pas touché pour ne pas bousiller les empreintes, mais tu connais des mecs qui ont un portefeuille rouge, toi ?

Quand un des agents coupa la corde, la fille tomba, sa jupe se gonfla comme un parachute autour de ses longues jambes, le poids de son corps creusa le filet.

– Il ne risquait pas d'être surpris en plein boulot, dit Broughan. Il n'y a personne dans ces immeubles à part des rats, de la merde de chien et des cafards.

Le médecin légiste adjoint s'approcha, une expression de profond ennui sur le visage.

Cinq minutes plus tard, il exprima l'opinion que la fille était probablement morte d'une fracture des vertèbres cervicales.

Elle s'appelait Nancy Annunziato.

Une carte trouvée dans son portefeuille indiquait qu'elle était étudiante au Calm's Point College, l'une des cinq universités de la ville où l'enseignement était gratuit. Le collège se trouvait à l'autre bout de la ville, de l'autre côté du pont de Calm's Point et de la River Dix, ce qui représentait un trajet d'une heure au moins en voiture – une heure et demie en métro. Les policiers ne pensaient pas qu'une personne saine d'esprit aurait transporté un cadavre dans le métro, même si on y voyait des choses de plus en plus bizarres, même si les voyageurs ne s'étonnaient plus de ce qui se passait dans ses couloirs. Mais si l'on supposait que la fille avait été tuée ailleurs (comme on le pensait pour Marcia Schaffer) et que son corps avait été transporté jusqu'à ce quartier enchanteur, le meurtrier s'était donné beaucoup de mal pour brouiller ses traces. Et dans ce cas, pourquoi avait-il laissé derrière lui un portefeuille permettant d'identifier la fille ?

Téléphoner à Manhattan, Kansas, pour prévenir le père de Marcia Schaffer, avait été pénible, mais du moins Carella n'avait pas dû le regarder dans les yeux en lui annonçant la nouvelle. Cette fois, ce serait plus difficile puisque, d'après ses papiers, la fille avait vécu à Calm's Point, non loin de l'université, et sans doute chez ses parents. Cette fois, il y aurait face-à-face. Carella était content d'avoir avec lui Hawes et non un nigaud comme Genero. Celui-ci avait un jour demandé à la femme d'une victime si elle avait déjà acheté une concession au cimetière. « Il vaut toujours mieux s'y prendre à l'avance », avait-il conseillé. Plus tard, Genero avait raconté à Carella que sa mère avait déjà acheté une concession pour elle-même et son époux. « Avec entretien pendant le reste de ses jours », avait précisé Genero. Le reste des jours de *qui* ? s'était demandé Carella.

Ils furent pris dans les embouteillages matinaux en se

rendant à Calm's Point et mirent une heure et quart pour y parvenir. Annoncer la mauvaise nouvelle se révéla plus difficile encore qu'ils ne l'avaient pensé puisqu'ils apprirent en arrivant que Mr Annunziato, victime la veille d'une crise cardiaque, se trouvait au service de réanimation de l'hôpital Saint-Antoine, à quelques centaines de mètres de là. C'était un quartier en grande partie italien, un ghetto plein de vie rappelant à Carella celui où il avait grandi. Les cris, les salutations braillardes, et même les maisons en planches avec leur figuier provoquaient en lui un afflux de souvenirs curieusement aussi pénible que la corvée qui l'attendait. Aucun bébé ne pleurait dans la rue ombragée par des arbres. On n'entendait jamais un bébé pleurer dans un quartier italien : dès qu'un marmot montrait le moindre signe de contrariété, il y avait toujours une mère, une tante, une cousine ou une grand-mère pour le prendre dans ses bras et le consoler. Mrs Annunziato ressemblait à la tante Amélia de Carella, ce qui rendait la tâche plus difficile encore.

Elle pensa d'abord qu'ils étaient venus pour l'accident : son mari conduisait quand il avait eu sa crise cardiaque et sa voiture en avait heurté une autre. C'était ainsi qu'ils avaient appris que Mr Annunziato était à présent en réanimation, avec une légère commotion cérébrale en plus de sa crise cardiaque. Il fallait maintenant annoncer la mort de la fille.

Hawes s'absorbait dans la contemplation de ses chaussures.

Carella apprit la nouvelle à Mrs Annunziato moitié en italien moitié en anglais. Elle l'écouta attentivement, l'air incrédule, puis réclama des détails, sûre qu'il s'agissait d'une erreur. Ils lui montrèrent le portefeuille de la morte, qu'elle reconnut, et hésitèrent à lui faire voir les photos à développement instantané prises sur le lieu du crime, de peur qu'elle n'ait, elle aussi, une crise cardiaque. Finalement, elle éclata en sanglots, courut à l'intérieur de la maison en appelant sa mère, une petite

Italienne aux cheveux gris, toute de noir vêtue, qui apparut un instant plus tard et accabla les policiers de questions entrecoupées de sanglots. Les deux femmes se serraient l'une contre l'autre sur le trottoir en pleurant. Des badauds s'étaient arrêtés ; la cloche d'un marchand de crème glacée tinta dans la rue tranquille et ombragée.

– *Signore*, dit Carella, *scusami, ma ci sono molti domande...*

– *Si, capisco*, répondit Mrs Annunziato. *Parla inglese, per piacere.*

– *Grazie. Il mio italiano non è il migliore.* Je dois vous poser ces questions pour retrouver celui qui a fait cela à votre fille, *lei capisce, signore* ?

La grand-mère acquiesça d'un signe de tête sans cesser de serrer sa fille contre elle, de lui tapoter le dos, de la consoler.

– Quand l'avez-vous vue pour la dernière fois ? demanda Carella. *L'ultima volta che...*

– *La notte scorsa*, répondit la grand-mère.

– Hier soir, traduisit Mrs Annunziato.

– *A che ora ?* demanda Carella. A quelle heure ?

– *Alle sei*, dit la grand-mère.

– A six heures, fit Mrs Annunziato. Elle rentrait de l'école. Elle faisait l'entraînement.

– *Scusi ?* L'entraînement ?

– *Si, era una corridora*, précisa la grand-mère.

– *Corridora ?* répéta Carella, qui ne connaissait pas ce mot.

– Une coureuse, traduisit Mrs Annunziato. Elle était dans l'équipe, *cognesce* ? *Come si chiama ? La squadra di pista, capisce ?* Comment dit-on ? La course à pied.

Deux paquets du laboratoire de la police les attendaient au commissariat, où ils furent de retour à onze heures du matin. Les deux hommes étaient de nuit quand le 101e avait téléphoné et auraient dû être relevés à huit heures moins le quart. Mais il était déjà onze heures, le rapport du labo se trouvait sur le bureau de

Carella et une autre morte attendait l'autopsie à la morgue de Mercy General. Dans la salle de permanence propre comme un sou neuf, inondée de soleil par les fenêtres grandes ouvertes donnant sur la rue, ils brisèrent les scellés du premier paquet. Assis à son bureau, la perruque posée de guingois sur le sommet de son crâne, Meyer tapait à la machine. Hawes ne cessait de le lorgner, Meyer feignait de ne pas s'en apercevoir.

Le premier paquet contenait un rapport sur la corde et le nœud coulant enserrant le cou de la victime, ainsi qu'une analyse des photographies du nœud attachant cette corde au réverbère. C'était une corde en sisal du type le plus courant, composée de trois brins.

Le technicien qui avait rédigé le rapport expliquait longuement que les fibres d'une corde indiquent clairement dans quel sens elle a été tirée. Dans une pendaison légale ou dans un suicide, la chute du corps fait se dresser les fibres du bas vers le haut. Inversement, si l'on *hisse* le corps en passant la corde par-dessus une branche d'arbre ou le bras d'un réverbère, les fibres se dressent dans une direction opposée à la traction.

Carella et Hawes haussèrent les épaules : ils connaissaient tout cela par cœur.

Lorsque la direction des fibres semble à première vue étayer la thèse d'une vraie pendaison, poursuivait le rapport, ce n'est pas nécessairement exact puisque le meurtrier a pu soulever le corps sans l'aide de la corde pour lui passer ensuite le nœud coulant autour du cou. Toutefois, l'opération présente d'énormes difficultés parce qu'un cadavre est lourd, mou, malaisé à manipuler. De plus, le bras du réverbère se trouvait en l'occurrence à huit mètres du sol. Etant donné cette hauteur et la direction descendante des fibres, le technicien concluait que le meurtrier avait passé le nœud coulant autour du cou du cadavre, jeté la corde par-dessus le bras du réverbère, puis hissé le corps et attaché l'extrémité libre de la corde autour du réverbère, à environ un mètre cinquante du sol.

Comme il s'y attendait, le technicien n'avait relevé aucune empreinte sur la corde ou le nœud. L'examen au microscope avait indiqué que certaines fibres n'étaient pas en sisal mais faites d'un mélange de laine et de polyester. En outre, il avait trouvé des particules d'épiderme humain collées aux parties rugueuses du nœud – des particules d'épiderme humain non pigmenté, autrement dit de la peau d'homme blanc.

Le nœud attachant la corde au réverbère était en termes techniques une *demi-clé*... Selon le technicien, le tueur avait choisi ce type de nœud parce qu'on le faisait rapidement et facilement, même – comme dans ce cas – lorsqu'on utilisait *deux* demi-clés. Ce n'était pas aussi solide qu'un barbouquet, par exemple, mais si l'on considérait qu'un poids de soixante-deux kilos pendait à l'autre bout de la corde, le meurtrier avait dû penser avant tout à la vitesse et à la facilité. A la fin de son rapport, le technicien précisait que quasiment tous les marins et pêcheurs de la terre savent faire une demi-clé.

Le second paquet scellé renfermait un rapport sur le peignoir trouvé dans la chambre de la morte.

L'examen des fibres révéla que le vêtement était bien en pure laine vierge, comme l'affirmait l'étiquette. En le passant à l'aspirateur, on avait récupéré une grande quantité de poils et de cheveux que l'on avait comparés à des échantillons prélevés sur le crâne, les sourcils, les cils et le pubis de Marcia Schaffer. Certains de ces poils et cheveux étaient identiques à ceux de la morte, d'autres étaient différents, et le technicien, dans son rapport, leur donnait le nom de poils et cheveux *étrangers*.

Tous les poils et cheveux étrangers présentaient une racine sèche, non vivante, ce qui indiquait qu'ils étaient tombés et n'avaient pas été arrachés. Leur indice médullaire (rapport entre le diamètre médullaire et celui de la totalité du poil) était inférieur à 0,5 et ils pouvaient donc aussi bien appartenir à un homme qu'à un singe. Mais la moelle de ces poils montrait un grain serré, les cellules étaient invisibles sans traitement dans l'eau ; le cortex ressemblait à un épais manchon et le pigment présentait lui aussi un grain serré ; la cuticule avait des écailles fines non protubérantes qui se recouvraient davantage que chez l'animal. Ces poils et cheveux étaient donc humains et puisqu'ils mesuraient 0,07 centimètre de diamètre, ils provenaient d'un *adulte*.

Ils faisaient tous moins de huit centimètres et pouvaient aussi bien provenir d'un crâne que d'une barbe. Mais leur indice médullaire, qui était de 0,132, semblait indiquer qu'ils provenaient d'un crâne d'*homme* puisque, pour une femme, ce même indice aurait été de 0,148. En outre la forme ovoïde et la concentration périphérique des pigments du cortex prouvaient qu'il s'agissait d'un homme blanc.

Certains des autres poils récupérés étaient épais et bouclés, avec des racines bossuées indiquant une origine pubienne – hypothèse confirmée par un indice médullaire de 0,153. Les poils pubiens d'une femme, eux aussi épais et frisés, ont des racines fines et un indice médullaire de 0,114. La couleur rouge-orange des pigments de la gaine de *tous* les poils et cheveux – d'homme et de femme – ainsi que le nombre de granules établissaient que Marcia Schaffer et l'homme dont on avait trouvé le peignoir dans son appartement était tous deux blonds *naturels*. Un examen au microscope des extrémités des cheveux masculins avait révélé des surfaces nettement coupées indiquant que l'homme au peignoir était allé chez le coiffeur moins de quarante-huit heures avant que les cheveux ne tombent sur le peignoir.

La lecture du rapport accrut encore la fascination de Hawes pour la perruque de Meyer. Il ne cessait de lever les yeux vers son collègue et se demandait si les cheveux qui ornaient son crâne naguère chauve se révéleraient humains ou animaux au microscope. Meyer ignorait Hawes et s'imaginait qu'il cherchait quelque chose d'intelligent à dire.

Le rapport du laboratoire passait ensuite au paquet

de Marlboro, qui ne présentait rien de particulier. Pas de substances soumises à réglementation, juste du tabac de la firme Philip Morris. Le briquet était un vrai Dunhill, pas une des nombreuses imitations de la marque.

On avait relevé des empreintes bien nettes sur le briquet et le paquet de cigarettes.

L'identité judiciaire avait signalé que l'homme ayant laissé ses empreintes sur les deux objets n'avait pas de casier mais qu'on lui avait pris ses empreintes quand il avait été enrôlé dans la marine, pendant la guerre du Viêt-nam. Il s'appelait Martin J. Benson, dernière adresse connue : 93 204, Pacific Coast Highway, juste à la sortie de Santa Monica, Californie.

Carella et Hawes se partagèrent les annuaires téléphoniques des cinq parties de la ville et Hawes décrocha la timbale avec celui d'Isola, où un nommé Martin J. Benson vivait au 106, South Boulder Street. Ils sortaient de la permanence quand Hawes se tourna vers Meyer et lui lança :

– Tu sais que le crin de cheval a un indice médullaire de 7,6 ?

Information qu'il venait d'inventer et que Meyer ne trouva pas drôle.

Boulder Street appartenait à un quartier résidentiel et ni Carella ni Hawes ne connaissait quelqu'un qui eût les moyens d'y habiter. Mais c'était là que vivait l'ancien marin Martin J. Benson et il n'échappa pas aux policiers que son domicile n'était pas très distant de l'université Ramsey.

Benson ne se trouvait pas chez lui lorsque les deux inspecteurs s'y présentèrent, un peu après midi. Le gardien de l'immeuble, qui arrosait de splendides chrysanthèmes poussant dans de grands bacs en bois, leur apprit que Benson partait généralement au travail vers huit heures et demie. Il était le chef du service « création » (quasiment Dieu, dans la bouche du gardien) d'une agence de publicité de Jefferson Avenue, dans le centre. L'homme précisa que sous la férule de Benson, l'agence Cole, Cooper, Loomis & Bache avait lancé *Daffy Dots*, un bonbon qu'aucun des inspecteurs n'avait jamais goûté et dont ils n'avaient jamais entendu parler.

La réceptionniste de Cole, Cooper, Loomis & Bache était une blonde évaporée répondant au nom de Dorothy Hudd, à en croire la plaque en plastique posée sur son bureau. Elle portait un pull rose trop petit pour elle de plusieurs tailles et semblait avoir un amour immodéré pour ses propres seins – si l'attraction qu'ils exerçaient sur sa main gauche indiquait bien la légitime fierté de leur propriétaire. Sous couvert de jouer avec le collier de perles pendant sur sa poitrine (dont l'attraction commençait aussi à s'exercer sur Hawes), la fille tripotait, explorait et caressait discrètement les renflements entourant le bijou. Hawes se demanda à quelle débauche de câlineries elle devait en arriver sur la plage quand elle ne portait qu'un bikini. Son esprit vacilla quand il l'imagina au lit, le chevauchant, pressant dans ses mains ces globes magnifiques. Il n'avait rien contre les blondes évaporées. Ni même contre les brunes de même catégorie.

Carella, heureux en ménage et probablement immunisé contre de telles pensées fantasques, rempocha l'insigne qu'il venait juste de montrer à Dorothy et lui demanda si Mr Benson pouvait leur accorder un moment. En caressant ses perles, la fille l'informa que son patron venait de sortir pour déjeuner et ne rentrerait pas avant trois heures. D'un ton poli, Carella lui demanda où Mr Benson pouvait déjeuner.

– Oh ! je n'en sais rien.

– Sa secrétaire le sait peut-être ?

– Je pense que oui, minauda la réceptionniste.

Elle roula des yeux en jouant avec ses perles, acte apparemment inconscient qui retenait toute l'attention de Hawes.

– Mais elle aussi, elle est en train de déjeuner, ajouta-t-elle.

– Il n'y a pas moyen de le trouver ? insista Carella.

– Attendez, je vais demander.

Dorothy fit pivoter sa chaise tournante, quitta son bureau et se dirigea vers une porte conduisant aux bureaux. Elle portait une jupe noire serrée qui célébrait le retour de la mini sur les côtes américaines. Hawes apprécia et lorsqu'elle disparut, il murmura :

– Je la croquerais bien.

– Moi aussi, dit Carella, faisant voler en éclats le mythe de la cécité des hommes mariés.

Dorothy revint cinq minutes plus tard et reprit place derrière son bureau en souriant. Sa main gauche se reporta immédiatement aux perles autour de son cou et Hawes, fasciné, ne la quittait pas des yeux.

– D'après Mr Perisello, Mr Benson déjeune d'habitude au *Relais de Poste*. Mais pas forcément aujourd'hui. Pourquoi ne revenez-vous pas à trois heures ? suggéra la réceptionniste en décochant un sourire à Hawes. Ou à l'heure que vous voudrez.

Carella la remercia, montra à son collègue le chemin de la sortie.

– Je suis amoureux, déclara Hawes une fois dehors.

Le *Relais de Poste* était le genre de restaurant que les inspecteurs de deuxième classe Hawes et Carella ne pouvaient pas s'offrir avec leur salaire annuel de trente-trois mille soixante-dix dollars. Dessiné et décoré par un architecte américain d'origine arménienne, l'endroit ressemblait à ce que devait être, *selon cet homme*, une vieille auberge anglaise aux environ de 1605, avec des poutres équarries à la main, des vitraux aux fenêtres, un plancher enfonçant çà et là pour faire plus authentique, et un personnel de servantes plantureuses vêtues de jupes et de blouses paysannes qui révélaient plus de poitrine encore que le pull de Dorothy Hudd. Hawes commençait à penser que c'était son jour de chance.

Carella demanda à l'hôtesse (une brune élancée portant une longue robe noire et des hauts talons qui semblaient fort anachroniques dans cette ambiance anglaise dix-huitième) où se trouvait Mr Benson, puis prit une de ses cartes, y griffonna quelques mots et chargea la femme de la lui remettre. Il la regarda traverser la salle en direction d'une table de coin où deux hommes – un blond et un chauve – discutaient avec animation, sans doute de leur dernière brillante campagne publicitaire. L'hôtesse tendit la carte au blond, qui en regarda le recto – l'emblème de la police, le nom et le grade de Carella, son numéro de téléphone au 87ᵉ – puis la retourna et lut la note que le policier avait écrite au verso. Il dit quelques mots à la brune qui pointa le doigt vers l'entrée, où se tenaient encore les deux inspecteurs. Benson se leva aussitôt, s'excusa auprès du chauve et traversa la salle à grands pas pour rejoindre les policiers.

– Mr Benson ? fit Carella.

– Qu'y a-t-il ? Je suis en train de déjeuner.

Carella l'estima aussi grand que Hawes – plus de deux mètres – avec les mêmes larges épaules, la même poitrine puissante, des yeux gris ardoise, des cheveux blonds comme les blés. Il était vêtu d'un costume sans doute fait sur mesure, d'une chemise brodée aux initiales M. J. B. et d'une cravate *Countess Mara*. Les manchettes qui dépassaient de sa veste étaient fermées par de petits boutons en or piqués de diamants. Sa main gauche s'ornait d'une bague rosâtre où étincelait un diamant plus gros que ceux des boutons de manchettes. Carella songea que le chef du service création devait se faire pas mal de fric avec ses campagnes pour les bonbons Daffy Dots.

– Si vous voulez terminer votre repas, nous attendrons, proposa-t-il.

– Non, finissons-en, dit Benson en cherchant des yeux un endroit où ils pourraient parler tranquillement.

Il opta pour le bar, un comptoir de chêne au dessus de plomb s'étirant sous une rangée de verres accrochés par le pied. Les trois hommes s'installèrent sur des tabourets au bout du comptoir, près d'une antique caisse enregistreuse, Hawes et Carella encadrant Benson. Le publicitaire commanda aussitôt un Martini-gin, sec et frappé.

– Eh bien ? fit-il.

– Vous connaissez une personne nommée Marcia Schaffer ? demanda Carella sans préambule.

– Alors, c'est pour cela, dit Benson en hochant la tête.

– C'est pour cela, répéta Hawes.

– Que voulez-vous savoir ?

– Vous la connaissez ?

– Oui, je la connaissais.

– Vous la *connaissiez* ?

Les deux policiers posaient leur question tour à tour pour obliger Benson à les regarder alternativement.

– Elle est morte, n'est-ce pas ? reprit Benson. Et c'est pour cela que vous êtes ici. Oui, je la *connaissais*. Temps passé.

– Passé de beaucoup ? demanda Carella.

– Je ne l'avais pas vue depuis plus d'un mois.

– Vous voulez bien développer ? suggéra Hawes d'un ton neutre.

– Je ferais peut-être mieux de téléphoner à mon avocat, répondit le chef du service création en se tournant vers lui.

– Vous feriez peut-être mieux de rester assis, intervint Carella.

Benson recula son tabouret pour pouvoir voir les deux inspecteurs sans avoir à tourner constamment la tête.

– Développer comment ?

– Mr Benson, reprit Hawes, avez-vous un peignoir bleu marine en pure laine vierge ?

– Oui. A quoi jouez-vous ? Vous avez trouvé mon peignoir chez Marcia et c'est pourquoi vous êtes ici, d'accord ? Alors assez de salades.

– Possédez-vous un briquet Dunhill en or ?

– Oui. Il était dans la poche du peignoir, non ? Cela ne prouve pas que je l'ai tuée.

– Qui vous en accuse ? dit Hawes.
– Personne ne vous en accuse, renchérit Carella.
– Je suppose que vous êtes ici parce que...
– Mr Benson, quand avez-vous oublié ce peignoir dans l'appartement de miss Schaffer ? demanda Hawes.
– Je vous l'ai dit. Il y a plus d'un mois.
– Quand exactement ? voulut savoir Carella.
– Pour la fête du Travail, je crois. Nous avons passé le week-end ensemble. En ville. C'est l'endroit rêvé un jour férié : tout le monde est parti, on a toute la...
– Vous avez passé le week-end de la fête du Travail dans son appartement ?
– Oui.
– Vous aviez emporté des vêtements ?
– Juste ce dont j'avais besoin.
– Notamment le peignoir ?
– Oui. J'ai dû l'oublier en partant.
– Vous avez oublié le peignoir et le briquet ?
– Oui.
– Et le briquet ne vous a pas manqué depuis ?
– J'en ai d'autres, affirma Benson.
– Vous fumez des Marlboro, n'est-ce pas ?
– Je fume des Marlboro.
Carella sortit de son portefeuille un petit calendrier plastifié, le regarda et déclara :
– La fête du Travail, c'était le 5 septembre (1).
– Si vous le dites...
– Je le dis. Et vous ne l'avez pas revue depuis, c'est exact ?
– C'est exact.
– Comment avez-vous fait sa connaissance, Mr Benson ? demanda Hawes.
– A l'université Ramsey. Je donnais une conférence sur la création en publicité et je l'ai rencontrée plus tard, à une soirée.

(1) La fête du Travail est célébrée le premier lundi de septembre dans la plupart des Etats américains. *(N.d.T.)*

— Et vous avez commencé à sortir avec elle ?
— Oui. Je suis célibataire, il n'y a rien de mal à cela.
— Quel âge avez-vous, Mr Benson ?
— Trente-sept ans. Il n'y a rien de mal à cela non plus. Marcia avait presque vingt et un ans, elle les aurait eus le mois prochain. Je ne les prends pas au berceau, si c'est ce que vous voulez insinuer.
— Personne n'insinue quoi que ce soit, assura Hawes.
— J'ai l'impression que vous désapprouvez tous les deux mes relations avec Marcia. Franchement, je m'en fous complètement. Nous avons passé de bons moments ensemble.
— Alors pourquoi avez-vous cessé de la voir ?
— Qui vous dit que j'avais cessé de la voir ?
— Vous : la dernière fois, d'après vous, c'était pour la fête du Travail, le 5 septembre.
— En effet.
— Aviez-vous essayé de la joindre, depuis ?
— Non, mais
— De lui téléphoner, de lui écrire ?
— Pourquoi lui aurais-je écrit ? Nous vivions dans la même ville, bon sang !
— Mais vous ne lui avez pas téléphoné.
— Si, peut-être, je ne m'en souviens plus.
— En tout cas, vous l'avez vue pour la dernière fois le 5 septembre.
— Il faut vous le répéter combien de fois ? Oui, le jour de la fête du Travail. Le 5 septembre, si c'était ce jour-là.
— C'était ce jour-là.
— D'accord.
Carella jeta un coup d'œil à Hawes avant de demander :
— Mr Benson, vous êtes-vous fait couper les cheveux le samedi 3 septembre ?
— Non. Je ne vais jamais chez le coiffeur le samedi.
— Quand, alors ?
— Le mardi après-midi. Nous avons une réunion du personnel tous les mardis à quatorze heures et je me

fais généralement couper les cheveux à seize heures.

– Tous les mardis ?

– Non, non. Toutes les trois semaines.

– Alors, vous ne vous êtes pas fait couper les cheveux le samedi 3 septembre ?

– Non.

– Quand êtes-vous allé chez le coiffeur, la dernière fois ? demanda Hawes.

– Mardi dernier.

– C'était le 4 octobre, annonça Carella en consultant son calendrier.

– Sûrement.

– Et trois semaines plus tôt, c'était le 13 septembre.

– C'est vous qui tenez le calendrier.

– Et trois semaines encore avant, le 23 août.

– Où voulez-vous en venir ? J'ai besoin de me faire couper les cheveux ?

– Mr Benson, d'après vous, vous avez laissé votre peignoir chez miss Schaffer le 5 septembre, la dernière fois que vous y êtes allé.

– C'est exact.

– Et vous ne l'avez pas revue depuis ?

– Non.

– Vous ne l'avez pas vue le 15 septembre, deux jours après être allé chez le coiffeur ?

– Non.

– Vous ne l'avez pas vue le 6 octobre, là encore deux jours après le coiffeur ?

– Non et non. La dernière fois que je l'ai vue, c'était...

– La fête du Travail, vous nous l'avez dit.

– Pourquoi mentez-vous ? demanda Hawes avec douceur.

– Pardon ?

– Mr Benson, dit Carella, le rapport du laboratoire indique que les cheveux retrouvés sur votre peignoir avaient été coupés quarante-huit heures avant. Vous prétendez avoir laissé le peignoir là-bas le jour de la fête du Travail, mais vous ne vous êtes pas fait couper les cheveux le 3 septembre, alors, vous avez laissé le peignoir soit à une date antérieure au 5 septembre soit à une date postérieure, mais pas le 5.

– Pourquoi mentez-vous ? répéta Hawes.

– Je l'ai peut-être vue *après* la fête du Travail, avança le publicitaire. Quelle date donniez-vous pour l'avant-dernière fois chez le coiffeur ?

– Dites-le-moi.

– Le 14, le 15, peu importe.

Benson avala rapidement une gorgée de Martini.

– Mais pas la semaine dernière, hein ? reprit Carella. Pas le 6 octobre ?

– Non, j'en suis certain.

– Vous n'avez pas vu Marcia Schaffer le 6 octobre, deux jours après votre dernière séance chez le coiffeur ? Vous n'avez pas oublié votre peignoir dans son appartement le 6 octobre ?

– Je suis sûr que non.

– Que faisiez-vous le 6 octobre, Mr Benson ?

– Quel jour était-ce ?

– Un jeudi. Jeudi dernier, Mr Benson.

– J'étais probablement au bureau.

– Vous n'avez pas vu miss Schaffer jeudi soir ?

– Non, j'en suis sûr.

– Et mercredi soir ?

Benson but une autre gorgée de Martini.

– L'avez-vous vue mercredi soir ? demanda Hawes.

– Le 5 octobre, précisa Carella.

– Mr Benson ? dit Hawes.

– Vous l'avez vue ce soir-là ? insista Carella.

– Bon, d'accord, grogna Benson en reposant son verre. Je l'ai vue mercredi soir. Je suis allé là-bas directement après le travail, nous avons dîné et passé ensemble... le reste de la nuit...

Silencieux, les deux policiers attendaient.

– Au lit, soupira le publicitaire.

– Quand avez-vous quitté l'appartement ? demanda Carella.

– Le lendemain matin. Je me suis rendu directement au travail.

– Jeudi matin, le 6 octobre.

– Oui.

– Et vous avez oublié votre peignoir ?

– Oui.

– A quelle heure êtes-vous parti ?

– J'ai quitté l'appartement vers huit heures et demie.

– Et vous vous étiez fait couper les cheveux le mardi après-midi à quatre heures.

– Oui.

– Cela fait un intervalle de quarante heures, dit Carella à son collègue.

– Ça colle, acquiesça Hawes. Où étiez-vous jeudi soir aux environs de sept heures ? demanda-t-il au publicitaire.

– Je croyais que personne ne m'accusait de l'avoir tuée, riposta Benson.

– Personne ne vous accuse pour le moment.

– Alors pourquoi voulez-vous savoir ce que je faisais jeudi soir ? C'est jeudi soir qu'elle s'est fait tuer, non ?

– Exact, répondit Hawes.

– Alors que faisiez-vous jeudi soir ? demanda Carella.

– Vers sept heures, approximativement, ajouta Hawes.

– Je dînais avec une amie.

– Comment s'appelle-t-elle ?

– Il faut vraiment la mêler à cela ?

– Son nom, Mr Benson.

– Je la connais à peine, j'ai fait sa connaissance à l'agence.

– Elle y travaille ?

– Oui.

– Comment s'appelle-t-elle ?

– Je préfère ne pas répondre.

Hawes coula un regard vers Carella avant de poser la question suivante :

– Quel âge a-t-elle, celle-là ?

– Elle est majeure, répondit Benson. Ce n'est pas cela.

– Alors, qu'est-ce que c'est ?

Benson secoua la tête.

– Vous avez seulement dîné, jeudi soir ? dit Carella.

– Pas seulement, murmura Benson.

– Vous avez couché avec elle, conclut Hawes.

– Oui.

– Où ?

– Chez moi.

– Vous avez dîné avec elle vers sept heures...

– Environ.

– Et vous êtes allé chez vous à quelle heure ?

– Vers neuf heures.

– A quelle heure cette femme a-t-elle quitté votre appartement ?

– Un peu après une heure.

– Son nom, Mr Benson, réclama Hawes.

Le publicitaire soupira.

– Ecoutez...

Les policiers attendirent.

– Elle est mariée...

– Bon, elle est mariée, dit Hawes. Son nom ?

– Elle est mariée à un *flic*, lâcha Benson. Ecoutez, je ne veux pas lui créer d'ennuis. Il s'agit d'un meurtre...

– C'est à nous que vous le dites ? fit Carella.

– Je veux dire... Cette affaire fait beaucoup de bruit. Avec l'autre pendue d'hier soir...

– Vous êtes au courant ? coupa Hawes.

– On en a parlé à la télévision ce matin. Si une femme de flic semble mêlée à...

– Mêlée en quoi ? demanda Carella. Elle y est mêlée ?

– Je veux dire si son nom est mêlé à cette affaire. Les journaux en feraient leurs choux gras.

– Nous garderons le secret, promit l'inspecteur. Comment s'appelle-t-elle ?

– J'aime mieux ne pas répondre.

– Où étiez-vous *hier* soir ? aboya soudain Hawes en se penchant vers Benson.

– Comment ?

– *Hier* soir ! C'était quel jour, Steve ? demanda Hawes à son collègue. Regarde donc ton calendrier.

– Quoi ? fit Carella.

Il avait bien entendu son coéquipier mais était surpris par sa soudaine colère. Bon, Benson couchait avec la femme d'un flic mais cela s'était déjà vu dans les annales de la police, *confer* le récent divorce de Bert Kling dû à une situation identique. Pourquoi cette flambée de rage ?

– Quoi ? répéta-t-il.

– La date d'hier, dit Hawes d'un ton agacé. Donne-la-lui.

– Le 13 octobre.

– Où étiez-vous hier soir 13 octobre ? fit Hawes.

– Avec... avec elle.

– La femme du flic ?

– Oui.

– Au lit encore ?

– Oui.

– Vous aimez vivre dangereusement, non ? dit le policier, la voix chargée de colère, les yeux bleus lançant des éclairs. Son nom ?

– Je refuse de vous le dire.

– Son nom, bordel ? beugla Hawes en agrippant le bras de Benson.

– Hé, doucement, intervint Carella.

– Son *nom*, répéta Hawes, qui resserra sa prise.

– Je ne peux pas vous le dire.

Carella poussa un long soupir :

– Mr Benson, vous vous rendez compte que...

– Lâchez-moi, lança le publicitaire à Hawes.

– Vous vous rendez compte que Marcia Schaffer a été tuée jeudi soir... reprit Carella.

– Je le sais ! Lâchez-moi le bras !

– Et que votre alibi pour ce soir-là...

– Ce n'est pas un alibi !

– ... et pour hier soir, alors qu'on a retrouvé une autre fille...

– Je n'ai tué ni l'une ni l'autre ! cria Benson en tentant de se dégager.

– La seule personne qui puisse en témoigner...

– Elle s'appelle Robin Steele, bon Dieu ! dit Benson, dont Hawes lâcha le bras.

6

Il y avait des jours où Cotton Hawes aurait voulu s'appeler Grand Taureau Pétant. Il détestait son nom, Hawes, qui était difficile à prononcer et qui ressemblait à *yaws*, un nom de maladie (1). Il détestait aussi son prénom, Cotton. Personne d'autre au monde ne s'appelait Cotton excepté Cotton Mather, mort en 1728. Mais le père de l'inspecteur était un homme pieux qui considérait Cotton Mather comme le plus grand des prêtres puritains et avait baptisé son fils en l'honneur de ce mystique d'avant la Révolution américaine qui avait participé à la chasse aux sorcières avec les pires bigots. Par commodité, le père du policier avait escamoté les procès de Salem – il excellait dans l'art d'escamoter – dans lesquels il ne voyait que la vengeance mesquine d'une ville nourrie de ses propres frayeurs invétérées. Jeremiah Hawes (pourquoi n'avait-il pas tout simplement appelé son fils Jeremiah Junior ?) avait disculpé Cotton Mather (et escamoté le rôle que le prêtre avait joué en poussant l'hystérie à son point culminant) en baptisant son fils en l'honneur de cet homme. Pourquoi ne l'avait-il pas plutôt appelé Lefty (2) ? Hawes n'était

(1) Le pian. *(N.d.T.)*
(2) Gaucher. *(N.d.T.)*

pas gaucher mais il aurait préféré Lefty à Cotton. Lefty Hawes. Un nom à faire mourir de trouille tous les petits malfrats du quartier.

Il y avait aussi des jours où Hawes détestait quiconque n'était pas flic – y compris les femmes et les petites amies de policiers. Si elles ne faisaient pas partie de la maison, elles ne comprenaient rien à rien. Sortez en couple avec un collègue et sa copine, essayez de raconter aux bonnes femmes que vous avez failli vous faire descendre dans l'après-midi, elles préféreront parler de leurs ongles. D'un nouveau vernis qui les rend moins cassants. Un type armé d'un 357 Magnum essaie de vous refroidir trois heures plus tôt, elles parlent de leurs ongles.

Quiconque n'appartenait pas à la police se moquait bien de savoir ce que c'était que d'être flic. Tout le monde s'accordait à reconnaître que la ville était agréable à visiter, mais qui aurait souhaité y vivre ? Même ceux qui y vivaient s'en plaignaient. Mais ils ne se plaignaient pas de ce qui rendait vraiment la vie difficile dans cette ville – voire insupportable – si vous étiez flic. Ils ne connaissaient pas le dessous de la ville, ils ne voulaient pas le connaître. Lorsqu'on la retournait, la ville montrait un ventre blanc sale, gluant, grouillant d'asticots. Ce ventre, c'était la vie des flics, jour et nuit.

Les épouses et les copines des policiers *comprenaient* que leurs compagnons contemplaient ce ventre vingt-quatre heures sur vingt-quatre, mais elles ne voulaient pas connaître les détails. Elles faisaient des neuvaines, priaient à l'église pour que leur homme ne soit pas blessé mais ne voulaient rien savoir du ventre, pas vraiment. Parfois elles priaient pour ne pas entendre parler de ce ventre pâle infesté de vers. Parfois, elles tentaient de l'oublier en couchant avec quelqu'un qui n'était pas flic...

Le mari de Robin Steele travaillait au 26e commissariat.

Il était simple agent de police.

Il était flic depuis trois ans, laps de temps trop court pour qu'il soit usé par le boulot, surtout dans un secteur facile comme celui du 26e.

Mais Robin Steele couchait avec Martin J. Benson depuis six mois.

Elle confirma avoir passé la soirée du 6 octobre avec le publicitaire, pendant que son mari risquait sa peau dans une voiture de ronde. Elle confirma qu'elle était aussi avec lui la veille tandis que son époux sillonnait à nouveau les rues de la ville. Elle demanda aux inspecteurs de ne rien dire à son mari, qu'elle aimait profondément. Elle ne voulait pas qu'il soit blessé, en aucune façon. Elle savait qu'il faisait un métier dangereux, qu'il ne devait pas être préoccupé par autre chose quand il travaillait. Lorsque Hawes lui demanda si elle savait que Benson avait d'autres femmes dans sa vie, elle répondit : « Bien sûr, c'est sans importance. »

« Rien n'a d'importance », pensa Hawes.

Sauf que quelqu'un s'amuse à pendre des jeunes filles aux réverbères.

Il téléphona à Annie Rawles, probablement parce qu'il avait envie de parler à une femme qui fût en même temps un flic, de se détendre sans avoir à expliquer ce qu'était un roulement de service. Il désirait être avec quelqu'un qui le comprendrait quand il parlerait du ventre de la ville. Il avait d'abord pensé à se payer une tranche de Dorothy Hudd, la fille aux perles et aux doigts baladeurs, chercha même son numéro dans l'annuaire, commença à le composer puis raccrocha en se disant qu'il ne voulait pas de la compagnie d'un « pékin » le jour où un excellent suspect avait fourni un alibi en béton.

Il appela le Central, donna son nom et son grade, dit à l'employée qu'il travaillait sur une affaire avec l'inspectrice Annie Rawles, de la Brigade des viols, et obtint son numéro personnel en quelques minutes. « Elle est sans doute mariée », songea-t-il en le composant. Pourtant elle ne portait pas d'alliance. Cela ne se faisait peut-être pas chez les flics de la Brigade des viols.

– Allô ? fit une voix féminine.

– Miss Rawles ?

– Oui !

– Cotton Hawes à l'appareil.

– Qui ça ?

– Hawes, du 87e. Vous êtes passée la semaine dernière pour une affaire de viol, nous avons échangé quelques mots...

– Ah ! oui. Le rouquin...

– C'est ça.

– Alors, vous l'avez pincé ?

– Qui ?

– Le violeur ? Vous l'avez ?

– Non, non. Eileen Burke est venue cet après-midi, je crois qu'elle est sur l'affaire...

– C'est exact.

– Mais elle ne commencera pas avant demain.

– Non. Je pensais que la foudre avait frappé.

– Nous n'avons pas eu cette chance.

Il y eut un long silence.

– Eh bien... euh... qu'y a-t-il ? demanda Annie.

Hawes hésitait.

– Allô ? fit la jeune femme.

– Je suis toujours là. Vous... vous n'êtes pas mariée ni rien ?

– Non, je ne suis pas mariée, répondit l'inspectrice, et Hawes crut déceler un sourire dans sa voix.

– Vous avez dîné ? Je sais qu'il est déjà sept heures, vous avez peut-être déjà...

– Non, je n'ai pas encore dîné, dit Annie. (Et cette fois, il fut certain qu'elle souriait.) Je viens juste de rentrer, en fait.

– Est-ce que... euh... ?

– Volontiers. Vous passez me prendre ou nous nous retrouvons quelque part ailleurs ?

– Huit heures, ça vous va ? proposa Hawes.

Ils mangèrent dans un restaurant chinois et revinrent ensuite chez Annie. Elle habitait Langley Place, près du 31e, un des plus anciens secteurs de la ville, dans un vieil immeuble en brique encore chauffé par une chaudière à charbon. En servant le cognac, elle dit à Hawes que la présence d'une femme flic n'était sans doute pas étrangère au fait qu'il n'y avait pas eu de cambriolage dans l'immeuble depuis trois ans.

Elle portait une robe bleue toute simple, des escarpins à talons hauts de même couleur et Hawes se dit qu'elle ne s'était probablement pas habillée de cette façon pour aller au travail. Elle ressemblait à n'importe quelle jolie civile : cheveux noirs, yeux marron derrière des lunettes à monture noire, petite robe, chaîne en or et pendentif – ah ! là, non : aucune civile de cette ville ne se serait risquée à porter une chaîne en or. A cette exception près, elle n'avait pas l'air d'un flic. Certaines des femmes agents de la ville se déguisaient en *cow-girls* de cinéma, un gros revolver à la hanche, un ceinturon de cartouches au-dessus de leurs grosses fesses. Annie Rawles ressemblait à une étudiante. On racontait qu'elle avait abattu deux braqueurs de banque, mais Hawes ne parvenait pas à l'imaginer en position de tir, les jambes fléchies, visant et appuyant sur la détente autant de fois que nécessaire pour descendre les deux salopards. Il s'efforça de visualiser la scène et s'aperçut qu'il regardait la jeune femme fixement.

– Qu'est-ce qu'il y a ? demanda-t-elle en lui tendant un verre de cognac.

– Rien. Je me rappelais simplement que vous êtes flic.

– J'aimerais parfois l'oublier.

Elle s'assit près de lui sur le canapé, ramena ses jambes sous elle. La pièce était agréablement meublée : un poêle ancien, des gravures encadrées sur tous les murs, un comptoir la séparait d'une petite cuisine où étaient accrochées des casseroles en cuivre. Le mobilier semblait de qualité et Hawes se rappela qu'elle gagnait trente-sept mille neuf cent trente-cinq dollars par an comme inspectrice de première classe.

– Il est bon, dit-il après avoir bu une gorgée de cognac.

– C'est mon frère qui me l'a rapporté de France.

– Que fait-il ?

– Il importe du poisson. Non, ne riez pas. Du saumon, irlandais surtout. Très cher : quelque chose comme quatre-vingts dollars le kilo.

– Houla ! Quel rapport avec la France ?

– Il a fait un petit détour, pour joindre l'utile à l'agréable.

– Je ne suis jamais allé en France, dit Hawes, avec une nuance de regret.

– Moi non plus.

– Pourtant Popeye doit aller en France.

– Popeye ?

– Le flic de *The French Connection*. Vous avez vu le film ? Pas celui où il va en France, c'était mauvais. Le premier.

– Oui, c'était assez bien rendu.

– Les planques dans le froid et tout le reste. Cette histoire est vraiment arrivée à Carella, vous savez.

– Qui est Carella ?

– Le gars avec qui je travaille en ce moment. Un bon flic.

– Que lui est-il *vraiment* arrivé ?

– On a fait de lui un drogué, comme Popeye dans le deuxième film.

– Il va bien maintenant ?

– Oh ! oui. Il était accroché mais ça n'a pas duré longtemps. Ce n'était pas lui qui avait décidé de se droguer, on l'avait habitué à la drogue.

– Alors il s'est désintoxiqué ?

– Oui.

– Marrant, la vie de flic, hein ?

– Hilarant. Comment êtes-vous entrée dans la police ?

– Je pensais que ce serait captivant. Ça l'est, en fait. Vous ne croyez pas ?

– Si, sans doute.

– Je sortais de l'université...

– Vous avez encore l'air d'une étudiante.

– Merci.

– Quel âge avez-vous ?

– Trente-quatre ans, répondit Annie sans hésiter.

C'était ce qui plaisait à Hawes chez les femmes flics. Pas de baratin. Vous leur posiez une question, elles répondaient franchement.

– Ça fait longtemps que vous êtes de la maison ? reprit-il.

– Huit ans.

– Vous avez été à la Brigade des vols, non ?

– Oui. Encore avant j'étais aux Planques. Et vous ?

– Je suis au 87 depuis des siècles. Avant ça, j'ai travaillé au 30e, un commissariat en bas de soie, vous le connaissez ?

– Oui, acquiesça Annie en portant son verre à ses lèvres.

– J'ai beaucoup appris au 87e.

– Je m'en doute.

Ils demeurèrent un moment silencieux. Il aurait voulu lui demander où elle avait fait ses études, quels cours elle avait suivis, si elle avait eu peur en travaillant à la Brigade des planques où le boulot – avant sa dissolution – consistait essentiellement à se tenir dans l'arrière-boutique de magasins qui avaient été dévalisés et d'attendre que les voleurs reviennent. La Brigade des planques avait abattu quarante-quatre truands armés avant que le préfet n'estime que la police n'avait pas à en être particulièrement fière. Hawes se demandait si Annie Rawles avait tiré sur quelqu'un quand elle était dans cette brigade. Il avait encore beaucoup de questions à lui poser, même s'il avait l'impression de commencer à la connaître un peu. Soudain il se sentit totalement détendu, à l'aise, et n'eut plus envie de l'interroger. Comme s'il la connaissait depuis toujours, il dit simplement :

– Ça déteint sur vous au bout d'un moment, ce boulot.

Elle le regarda longuement avant d'acquiescer :

– Oui, c'est vrai.

Hawes hocha la tête, consulta sa montre.

– Si vous avez eu une journée comme la mienne...

– Dur-dur.

– Eh bien, fit-il en se levant, l'air emprunté, merci pour le cognac, votre frère a bon goût.

– Merci pour le dîner, dit Annie.

Elle ne se leva pas et le regarda, assise sur le canapé, les jambes repliées sous elle.

– On remettra ça une autre fois, suggéra l'inspecteur.

– Avec plaisir.

– En fait... j'ai un jour de repos, demain. Nous pourrions peut-être...

– Je ne prends pas mon service avant quatre heures.

– Peut-être... Je ne sais pas. Qu'est-ce que vous aimeriez faire ?

– Et vous ? fit Annie en regardant Cotton Hawes dans les yeux.

– Bon, je vous téléphone dans la matinée, d'accord. J'essaierai de trouver quelque chose que nous pourrions...

– Ne jouons pas aux crétins, dit Annie.

Eileen Burke était dans le lit de Kling.

Ils se connaissaient intimement depuis huit mois déjà, mais ce soir, ils avaient fait l'amour avec autant d'ardeur et d'improvisation que la première fois. Quand enfin ils moururent de la petite mort célébrée par la littérature, qu'ils se furent mutuellement assuré que c'était bon, qu'Eileen fut allée aux toilettes et que Kling eut traversé la chambre complètement nu pour ouvrir la fenêtre sur les bruits de la nuit, ils s'étendirent de nouveau, enlacés, la main d'Eileen sur la poitrine de Kling, celle du policier pressant doucement un sein de la jeune femme.

– J'ai réfléchi au boulot, dit-elle.

Kling aussi avait réfléchi et il était convaincu que les pendaisons étaient l'œuvre du Sourd.

– Pas ce boulot en particulier, précisa Eileen. L'affairc Mary Hollings.

– La fille violée, dit Kling.

– Je parle du boulot en général.

– La vie de flic, tu veux dire ? demanda Kling distraitement.

– La vie d'un *genre* de flic bien particulier.

« Ça ne peut être que le Sourd, pensait Kling. C'est sa façon d'opérer. » On n'avait pas entendu parler de lui depuis longtemps mais cela lui ressemblait. Oui d'autre aurait pris la peine de faciliter l'identification des victimes ?

– La vie de « chèvre », précisa Eileen.

Kling pensait à la première fois où le Sourd s'était manifesté. Les flics du 87e ignoraient alors à qui ils avaient affaire, ils savaient seulement que quelqu'un essayait d'imposer quelque chose à un homme – comment s'appelait-il, déjà ? Haskins, Baskin ?

– Je commence à penser que c'est avilissant, dit Eileen.

– Quoi ?

– De servir d'appât. Outre le fait qu'on soit prise au piège...

– Pas vraiment.

– En tout cas on se *sent* prise au piège. En définitive, je suis là à espérer qu'un type vienne me violer.

– Pas te violer.

– Essayer de me violer, alors.

– Pour l'empêcher de violer quelqu'un d'autre, argua Kling.

— Ouais, il y a ça, convint Eileen.

« Raskin, se rappela Kling. David Raskin. » Quelqu'un tentait de le faire partir d'un vieux grenier miteux qu'il utilisait pour stocker des vêtements. Oui, il était dans l'habillement, Raskin. D'abord il avait reçu des menaces de mort par téléphone puis du papier à lettres qu'il n'avait pas commandé et un traiteur lui avait livré de quoi nourrir l'Armée rouge. Deux journaux publièrent ensuite une annonce demandant à des mannequins roux de se présenter chez Raskin et ce fut ce qui mit les policiers sur la voie : quelqu'un les orientait vers le livre de Conan Doyle *la Ligue des roux* ; ce quelqu'un se faisait appeler *« el Sordo »*, le Sourd en espagnol, et s'efforçait de les aider à deviner ses plans.

Sauf qu'il n'essayait pas du tout de les aider. En fait, il les manipulait comme il l'avait fait avec Raskin, il cherchait à leur faire croire qu'il voulait piller la banque située sous le grenier alors qu'il avait une autre banque en vue depuis le début. Il jouait avec eux, les faisait se sentir stupides et incapables, les lançait sur une fausse piste tout en préparant son coup de maître et s'amusait probablement beaucoup.

Carella avait reçu une balle la première fois que le Sourd s'était fait connaître des policiers du 87ᵉ.

Si le Sourd était l'auteur des deux pendaisons...

— J'ai l'impression d'être une sorte d'objet sexuel, dit Eileen.

— Tu *es* une sorte d'objet sexuel, affirma Kling en lui pinçant doucement le sein.

— Je ne plaisante pas, répliqua Eileen.

Elle ajouta qu'on ne l'aurait jamais choisie pour ce genre de travail si elle n'avait pas été une femme, ce qui était en soi humiliant si l'on songeait que personne n'avait jamais pensé à prendre un *homme* travesti pour attirer un violeur. (S'il avait vraiment écouté, Kling aurait rétorqué que des flics masculins avaient bel et bien été utilisés pour ce genre de travail.) Cela traduisait aussi une méconnaissance profonde de la psychologie du violeur. Le violeur ne s'intéresse ni aux seins ni aux fesses, poursuivait Eileen, il se moque de voir une jambe ou une cuisse, il cherche à assouvir sa propre rage particulière, qui n'a rien à voir avec le sexe ou avec le désir. Mais les crétins sexistes de la police l'envoyaient parader sur le trottoir comme une putain dans l'espoir qu'elle inciterait – oui, c'était le mot – un malade quelconque à la traîner dans une ruelle où elle lui fourrerait son arme dans la bouche. C'était avilissant, elle se sentait sale et poisseuse, le soir, quand elle se déshabillait ; elle avait envie de se racler la peau pour enlever la crasse du travail qui y était collée. Qu'est-ce qu'une fille comme Annie Rawles faisait à la Brigade des viols alors qu'elle avait déjà mis hors d'état de nuire deux braqueurs quand elle était aux Vols ? N'était-ce pas la parfaite illustration du point de vue sexiste selon lequel une femme flic convenait seulement à un certain genre de travail tandis que les hommes pouvaient choisir leur boulot à leur guise ?

– Quel travail voudrais-tu faire ? demanda Kling.

– Je pourrais me faire muter aux Stup'.

– C'est pareil, sauf que chez eux, tu serviras d'appât pour les vendeurs de came.

– Ce n'est pas la même chose, fit observer Eileen.

Mais Kling pensait à nouveau au Sourd.

La première fois, il avait fait sauter la moitié de la ville.

Il avait posé des bombes un peu partout pour détourner l'attention de la police, semer la panique et la confusion pendant qu'il pillait une banque. Il ne s'était pas soucié le moins du monde des dégâts matériels et des morts que son habile petit stratagème causerait.

C'était la première fois.

Carella évitait généralement de se la rappeler parce qu'il avait été blessé à cette occasion. Lorsqu'il pensait au Sourd, comme ce soir-là, il songeait plutôt à la deuxième et à la troisième fois qu'il était venu les tourmenter. Il lui semblait incroyable qu'il n'y ait eu que trois fois. Pour lui comme pour la plupart des inspecteurs de la brigade, le Sourd était une légende et les légendes n'ont pas d'origine, elles sont éternelles. La seule pensée que le Sourd était peut-être de retour fit courir un petit frisson d'appréhension le long de la colonne vertébrale de Carella. Chaque fois que le Sourd se manifestait – et ces pendaisons portaient sa marque –, les hommes du 87e se comportaient comme les flics d'un film muet de Mack Sennett.

Suprême ironie, l'homme qui accablait le 87e se prétendait sourd – s'il ne l'était vraiment – alors que la personne qui comptait le plus au monde pour Carella, sa femme Teddy, était effectivement sourde. Elle ne pouvait pas non plus parler – pas avec sa langue en tout cas. Mais elle parlait autrement : avec ses mains, avec son visage expressif, avec ses yeux. Et elle « entendait » tous les mots que son mari prononçait : en gardant les yeux fixés sur ses lèvres quand il parlait ou sur ses mains quand il utilisait le langage qu'elle lui avait enseigné peu après leur mariage.

En ce moment, Teddy lui parlait.

Ils venaient de faire l'amour.

Les premiers mots qu'elle lui dit furent « Je t'aime ».

Elle utilisa le signe familier, combinant les lettres *J, T* et *A* : la main droite près de la poitrine, le petit doigt, l'index et le pouce tendus, les deux autres doigts repliés. Il répondit par le signe plus classique pour « Je t'aime » : touchant d'abord le centre de sa poitrine de l'extrémité de l'index, puis serrant les deux poings, croisant les poignets et plaçant ses bras contre sa poitrine, désignant enfin Teddy de l'index.

Ils s'embrassèrent de nouveau.

Elle soupira.

Et elle entreprit de lui raconter sa journée.

Teddy cherchait depuis quelque temps à trouver un emploi. Fanny, qui était chez eux depuis la naissance des jumeaux, tenait la maison parfaitement. Les jumeaux, Mark et Avril, avaient maintenant onze ans et passaient une grande partie de la journée à l'école. Teddy en avait assez de ne rien faire d'autre que jouer au tennis ou déjeuner avec les « filles ». Elle composa le mot « fille » en faisant de son poing droit le signe de la lettre *A* puis en passant l'extrémité de son pouce sur sa joue. Pour marquer le pluriel, elle indiqua rapidement plusieurs points de son index tendu. *Les* filles. Mais ses yeux et l'expression de son visage donnaient manifestement au mot un sens péjoratif : Teddy ne se considérait pas comme une « fille » et certainement pas comme l'une des « filles ».

En écoutant sa femme (il écoutait effectivement, même s'il le faisait avec ses yeux), Carella pensait à la deuxième fois où le Sourd avait fait irruption dans la vie animée du commissariat. Là encore, c'était Meyer qui avait établi le premier contact – par pur hasard, parce que c'était lui qui avait décroché le téléphone. Le Sourd en personne était à l'autre bout du fil et menaçait de tuer le responsable municipal des jardins publics s'il ne recevait pas cinq mille dollars avant midi. Le responsable des jardins publics fut abattu la nuit suivante.

« Ce matin, je suis allée dans une agence immobilière de Cumberland Avenue, disait Teddy avec ses mains, ses yeux et son visage. J'avais répondu à leur annonce en précisant ce que je faisais comme travail avant notre mariage... »

Carella s'en souvenait. Il avait rencontré Theodora Franklin alors qu'il enquêtait sur un cambriolage commis dans une petite entreprise située à la limite du secteur du commissariat. Elle y tapait des adresses sur des enveloppes. En découvrant la beauté brune aux yeux noirs assise derrière une machine à écrire, il avait aussitôt su que c'était la femme avec qui il voulait partager le reste de sa vie.

« ... Et ils m'avaient fixé un rendez-vous, poursuivait Teddy. Alors, ce matin, je m'étais mise sur mon trente et un... »

Carella saisit l'expression populaire traduite simplement par le nombre trente et un et imagina Teddy, tailleur chic et hauts talons, prenant l'autobus pour Cumberland Avenue, située à trois kilomètres de la maison.

Les mains, les yeux, le visage aux traits mobiles déversèrent soudain un torrent de signes. « Enorme surprise, dit Teddy, la dame est sourde-muette. La dame n'entend rien, la dame ne peut pas parler. Elle n'a ni langue ni oreilles et quelque intelligente que sa lettre ait pu paraître, quelle que soit l'excellente impression qu'elle fait elle-même, elle ne peut pas faire l'affaire ! Même si l'annonce demandait seulement une personne capable de taper à la machine et de classer des dossiers. Même si, en lisant sur ses lèvres, je comprenais le moindre mot que ce gros salaud prononçait – ce qui n'était pas facile, avec le cigare qu'il mâchonnait. Même si je peux encore taper soixante mots à la minute après toutes ces années. Steve, il m'a prise pour une *demeurée* (elle fit du poing le signe *A*, tapota des jointures contre son front). Demeuré et sourd, ça va ensemble comme cul et chemise, hein ? Merde, protesta Teddy en composant le mot lettre par lettre pour lui donner plus de force. M-E-R-D-E ! »

Il la prit dans ses bras.

Il s'apprêtait à la consoler, à lui dire qu'il y avait sur terre des ignares incapables de juger de la valeur de quelqu'un autrement que sur les apparences les plus patentes quand soudain elle se remit à émettre des signes. Il lut le message de ses mains et la colère de ses yeux.

« Je n'abandonne pas, déclara-t-elle. Je finirai par décrocher un boulot. »

Elle roula contre lui et il la sentit hocher la tête avec détermination contre son épaule. Il tendit le bras derrière lui, éteignit la lampe de chevet. Il entendit Teddy respirer près de lui dans le noir et se dit qu'elle resterait longtemps éveillée à échafauder des plans. Tout à coup, il pensa à nouveau au Sourd. Etait-il éveillé lui aussi, échafaudant *ses* plans ? Une autre fille pendue à un réverbère ? Une autre jeune coureuse assassinée ? Mais pourquoi ?

La seconde fois, le Sourd avait tué le responsable des jardins publics puis l'adjoint du maire (ainsi qu'une poignée de personnes se trouvant à proximité de la voiture de l'édile quand elle avait explosé) et avait ensuite menacé d'exécuter le maire lui-même, tout cela dans le cadre de sa grande opération. Quelle opération ? Extorquer cinq mille dollars chacun à cent riches citoyens choisis par lui. Quel raisonnement douteux lui faisait croire qu'ils paieraient ? Eh bien, il avait prévenu les autres victimes à l'avance, non ? Et il avait mis ses menaces à exécution. Puis il avait menacé de frapper *sans* prévenir si les nouvelles cibles désignées ne versaient pas l'argent. Que représentaient cinq mille dollars pour des hommes riches à millions ? Même avec seulement une réponse positive sur cent, les dépenses du Sourd seraient plus que couvertes. Aucune importance s'il avait déjà tué deux victimes désignées et quelques passants innocents. Aucune importance s'il envisageait d'en tuer une troisième, le maire lui-même. Cela faisait partie du jeu. Le jeu, la rigolade. Chaque fois que le Sourd se manifestait, c'était la crise de rire garantie pour tout le monde. Sauf pour les flics du 87e commissariat.

Si les jeunes filles pendues aux réverbères étaient les préliminaires d'un plan plus vaste que le Sourd avait en tête, le 87 pouvait s'attendre à de nouveaux ennuis. Cette pensée fit frissonner Carella, qui attira soudain sa femme contre lui.

Sarah Meyer se demandait comment dire à son mari que, selon elle, leur fille devrait prendre la pilule. Meyer se demandait si sa perruque plaisait à sa femme. Il se demandait aussi si le Sourd était à nouveau dans les parages. Pas dans les parages *immédiats*, puisque Meyer se savait seul au lit avec son épouse, mais dans les parages, occupé à pendre des jeunes femmes aux réverbères.

Meyer n'aimait pas le Sourd. La malchance avait voulu que, à trois reprises, il soit le premier inspecteur avec qui le Sourd avait pris contact. Enfin, pas tout à fait : la première fois, c'était Dave Raskin qui l'avait appelé *au sujet* du Sourd, dont ils ignoraient alors la surdité – si elle était réelle. Il y avait beaucoup de choses qu'ils ignoraient au sujet du Sourd. Par exemple, qui il était. Où il était passé pendant toutes ces années. Pourquoi il était de retour, s'il était bien de retour. Meyer espérait que non, mais il craignait qu'il le soit.

Il voulait cesser de penser au Sourd et demander à Sarah si elle l'aimait mieux avec ou sans perruque. Si elle le préférait avec perruque, il se lèverait pour la mettre et ferait ensuite passionnément l'amour à sa femme. De toute façon, avec ou sans postiche, il avait l'intention de lui faire l'amour passionnément. Il voulait oublier le Sourd pour ne plus penser qu'aux jambes, aux cuisses et aux seins magnifiques de Sarah.

Sarah se tracassait au sujet de leur fille unique, Susan, qui avait seize ans. Plus précisément, les inquiétudes de Sarah portaient sur le sujet de la sexualité. Susan, de toute évidence, avait hérité les jambes, les cuisses et les seins magnifiques de sa mère. Elle avait aussi les lèvres sensuelles de Sarah, les yeux bleus de Meyer, ainsi que des cheveux blonds qu'elle tenait de Dieu sait qui, et tous ces éléments mis ensemble composaient une jeune demoiselle fort attirante qui, espérait Sarah, était moins portée sur les caresses qu'elle ne l'était elle-même.

Voilà pourquoi Sarah voulait suggérer à Meyer qu'ils suggèrent tous deux à Susan de suggérer au docteur de la famille qu'il devrait peut-être lui prescrire la pilule. Sarah ne savait pas si sa fille était encore vierge. Susan était devenue terriblement secrète sur les questions personnelles depuis quelques mois, signe, peut-être, qu'elle avait déjà été initiée par quelque lycéen au sang chaud (« Je le tuerai », pensait Sarah), ou qu'elle *envisageait* sérieusement une telle initiation. Dans un cas comme dans l'autre, Sarah ne voulait pas que sa fille tombe enceinte à seize ans.

Le problème, c'était d'expliquer tout cela à Meyer.

Sarah était fermement convaincue qu'il croyait que Susan n'avait jamais été embrassée.

Ils se mirent tous deux à parler en même temps :

– J'ai pensé...

– Sarah, est-ce... ?

Ils s'interrompirent l'un et l'autre.

– Vas-y, proposa Meyer à sa femme. Toi d'abord.

– Non, toi.

Meyer prit une profonde inspiration.

– Ils me charrient, pour la perruque, dit-il.

– Qui ça ?

– Les gars, au boulot.

– Et alors ?

– Ils me charrient *tous*, insista Meyer.

– Et alors ?

– Alors... Sarah, elle te plaît, ma perruque ?

– Ce n'est pas à moi qu'elle doit plaire. C'est sur *ta* tête que tu la mets.

– Oui, mais... Tu me trouves mieux avec ou sans ?

Sarah considéra longuement la question avant de répondre :

– Je t'aime, avec ou sans cheveux. Tu peux rester chauve si tu veux, porter ta perruque, t'en acheter une blonde ou une rousse ; tu peux te laisser pousser la barbe, te vernir les ongles en violet, je t'aimerai de toute façon. Parce que je t'aime.

– Moi aussi je t'aime... Mais la perruque, elle te plaît ?

– Tu veux une réponse franche ?

– Oui.

– J'adore embrasser ton crâne chauve tout brillant.

– Alors je vais brûler cette moumoute, promit Meyer.

– C'est cela, brûle-la.
– Demain.
– Quand tu voudras.
– Bon, c'est réglé, conclut Meyer.

Il n'était pourtant pas certain de la brûler. Il aimait assez l'allure qu'il avait quand il la portait : avec sa perruque, il avait l'air d'un inspecteur. Meyer aimait avoir l'air d'un inspecteur, il aimait *être* inspecteur. Sauf quand le Sourd était dans les parages...

Sarah parlait.

Meyer n'avait pas saisi le début de la phrase mais cela avait un rapport avec la croissance des adolescentes, qui deviennent belles et attirent naturellement l'attention. Il se souvint de la dernière fois que le Sourd était venu leur gâcher l'existence. Pourquoi avait-il choisi le 87e et non un autre commissariat ? Qu'est-ce qu'il leur voulait ? Il leur avait envoyé des photos, pour leur rendre le travail plus facile. Enfin, pas si facile, ce n'était pas un philanthrope. En fait, il leur avait lancé un défi : devinez ce que ces photos signifient et vous saurez ce que je prépare cette fois-ci. Quand ils eurent trouvé la devinette, les photos indiquèrent que le Sourd s'apprêtait encore à piller une banque. Ce qu'il fit. *Deux fois.* Il envoya une équipe dont il savait qu'elle serait prise si les policiers avaient correctement analysé les photos qu'il leur avait adressées puis il envoya une *seconde* équipe une heure et demie après. Et il avait bien failli réussir. Cette fois-là, il s'était fait appeler Taubman. *Der taube Mann,* le Sourd en allemand. « Bon Dieu, songeait Meyer, pourvu qu'il ne soit pas de retour ! »

– Qu'est-ce que tu en penses ? demanda Sarah.
– Pourvu qu'il ne soit pas de retour, dit Meyer à haute voix.
– Qui ?
– Le Sourd.
– Tu as entendu ce que je disais ?
– Bien sûr, je...
– A moins que tu ne sois sourd, toi aussi.

– Qu'est-ce qu'il y a ?
– Je parlais de Susan.
– Quoi, Susan ?
– Elle a seize ans.
– Je le sais.
– Elle est belle.
– Comme sa mère.
– Merci. Elle commence à attirer les garçons.
– Elle les attire depuis l'âge de douze ans, rectifia Meyer.
– Tu sais ça ?
– Naturellement, je ne suis pas aveugle. Au fait, je voulais te demander si tu ne crois pas qu'elle devrait voir un médecin.
– Un médecin ?
– Oui. Pour qu'il lui donne la pilule.
– Oh ! fit Sarah.
– Je sais que tu auras peut-être beaucoup de mal à te faire à cette idée...
– Non, non.
– Mais je pense qu'il vaut mieux prendre les précautions nécessaires. Nous ne sommes plus au Moyen Age, tu sais.
– Je sais.
– Alors, tu lui en parleras ?
– Entendu, dit Sarah.

Elle demeura un moment silencieuse, puis murmura :
– Je t'aime, tu le sais ?

Et elle embrassa le crâne chauve tout brillant de Meyer.

Hawes aimait déshabiller les femmes, surtout celles qui portaient des lunettes. Leur enlever leurs lunettes, c'était comme les mettre nues. Une femme paraît particulièrement douce et désirable sans ses lunettes. Il aimait embrasser les paupières closes d'une femme qui venait d'ôter ses lunettes. Quand il voulut enlever celles d'Annie, elle dit :

– Non, ne fais pas ça.

Ils se trouvaient dans la chambre de la jeune femme, assis sur le bord du vaste lit, leur verre de cognac à la main. Ils s'étaient embrassés une seule fois, doucement, de manière exploratoire, avant qu'il n'entreprenne de lui enlever ses lunettes. « C'est mal parti, pensait Hawes. Si une femme refuse de vous laisser enlever ses lunettes, comment réagira-t-elle quand vous lui demanderez de s'accrocher au lustre ? » Il la regardait, perplexe, lorsqu'elle murmura :

– Je veux te voir.

Il l'embrassa de nouveau. Elle avait un baiser très agréable : les lèvres entrouvertes, douces et souples, avec une légère inspiration créant comme un joint étanche entre leurs bouches. Il se demandait comment Sam Grossman, au labo, aurait expliqué un tel vide, lèvres contre lèvres, aspiration soudain rompue par l'intrusion de langues inquisitrices. Hawes sut soudain que tout irait bien, avec ou sans lunettes.

La première fois est la plus importante et il écoutait toujours avec scepticisme les pontifes de la brigade déclarer que l'amour s'améliore à chaque fois, qu'on apprend par la pratique. D'après son expérience, si la première fois ne valait pas grand-chose, la deuxième était encore pire, et la suivante impossible. Embrasser Annie Rawles lui faisait un peu tourner la tête, signe que tout se passerait très bien. *« Il y a de la magie dans tes lèvres, Kate »*, pensa-t-il, et il se demanda de quelle pièce de Shakespeare c'était, ou dans quel film Spencer Tracy faisait cette déclaration à Katharine Hepburn.

– Il y a de la magie dans tes lèvres, dit-il.

– Kate, murmura Annie. *Henry V.*

Et elle se remit à l'embrasser. Hawes buvait ses baisers, une main sous son menton. Il laissa ses doigts descendre le long du cou, effleurer la clavicule, glisser sur le tissu soyeux de la robe bleue, se poser sur le sein gauche...

– Non, dit Annie.

Il pensa qu'il s'était trompé en croyant que tout irait bien. Annie était peut-être une de ces femmes qui considéraient comme normal de passer la nuit uniquement à s'embrasser.

– Je veux que tu me déshabilles d'abord, murmura-t-elle.

Il se sentit soudain plus excité qu'il ne l'avait jamais été. Plus excité que la première fois, sur le toit, avec Elizabeth Parker, quand il avait seize ans et qu'elle avait dû lui expliquer comment s'y prendre. Plus excité qu'avec la prostituée noire de Panama, lorsqu'il avait vingt ans et qu'il faisait son service dans la marine. Avec cette femme d'une beauté joyeuse, il en avait plus appris en deux heures sur l'amour que pendant tout le reste de sa vie. (Il n'en avait jamais parlé à Brown, il le ferait peut-être un jour.) Plus excité qu'à ce dîner, quand la femme mariée assise à côté de lui et vêtue d'un long fourreau vert décolleté jusqu'au nombril avait glissé une main sous la table pour lui presser la cuisse, près du bas-ventre, et lui avait dit, en portant un peu de son cocktail de crevettes à sa bouche délicieusement espiègle : « Vous vous trouvez souvent dans l'obligation d'utiliser votre revolver, inspecteur ? »

Elle avait l'air d'une institutrice avec sa robe bleue toute simple, Annie Rawles. Les lunettes perchées sur le nez, un vague sourire aux lèvres. Elle lui tourna le dos comme pour écrire quelque chose au tableau noir.

– La fermeture à glissière, dit-elle.

Elle inclina la tête en avant bien que sa chevelure noire coupée court ne cachât pas sa nuque fine et l'endroit où nichait la languette de la fermeture à glissière, en haut de la robe. Il lui embrassa le cou, la sentit frissonner. Il saisit la languette, la fit descendre le long du dos, révélant la bande du soutien-gorge, d'un bleu plus clair que la robe, courant sur la peau blanche. Au moment où il posait les doigts sur l'attache, elle dit à nouveau :

– Non.

Elle se tourna pour lui faire face, se dégagea de la robe, la fit glisser sur ses hanches, tomber autour de ses chevilles. Elle portait de la lingerie affriolante : l'institutrice avait disparu dans les replis du vêtement bleu tout simple gisant sur le tapis, la femme flic coriace s'était transformée en un clin d'œil en une déesse de film érotique. Un soutien-gorge minuscule bordé de dentelle laissait à nu la partie supérieure de ses seins blancs et, dans le cas du gauche, révélait même un mamelon rose déjà érigé. La chaîne en or et le pendentif se blottissaient entre les deux globes, comme pour y chercher refuge. Sous ses panties bleu clair eux aussi, elle avait un porte-jarretelles tendu sur ses cuisses blanches et fermes, et le triangle noir du pubis qui se dessinait sous l'étoffe formait un renflement à la jonction des jambes. Sans la protection de sa robe bleue, elle lui parut plus épanouie qu'il ne l'avait imaginé, avec des hanches arrondies et féminines, des jambes galbées moulées dans des bas nylon bleus et terminées par des chevilles fines.

Une touffe de poils noirs frisés s'échappait témérairement des panties bordés de dentelle.

Les yeux d'Annie se portèrent sur le renflement tendant le pantalon de Hawes et le sourire qu'elle lui décocha fut aussi salace que celui de la putain noire de Panama, lorsqu'elle lui avait ouvert la porte de la mansarde en réponse à ses coups timides.

Il s'avança vers elle, étourdi par une odeur musquée suffocante qu'il imaginait ou qu'il respirait réellement.

– Non, dit-elle.

Il s'arrêta.

Il eut la pénible impression que les choses allaient se passer comme à Los Angeles, le jour où il était allé chercher un voleur extradé, et où une starlette de télévision de vingt-trois ans avait effectué devant lui un savant effeuillage avant de le renvoyer à ses pénates avec un bécot sur la joue. « Mais cette mèche blanche dans tes cheveux, c'est vraiment chou, trésor », avait-elle minaudé en refermant la porte derrière lui. De retour dans sa chambre d'hôtel minable, dans le centre de Los Angeles, il avait songé à teindre sa mèche en roux comme le reste de sa tignasse. Il avait quand même passé un bon moment avec le voleur extradé, dans l'avion qui les ramenait : le type avait un merveilleux sens de l'humour, même avec des menottes.

– A toi, maintenant, murmura Annie.

Elle l'aida à ôter sa veste, défit le nœud de la cravate et la tira du col d'un coup sec comme si elle faisait claquer un fouet. Puis, après avoir déboutonné sa chemise, elle lui embrassa la poitrine, dégagea les pans de la ceinture du pantalon. Elle défit les boutons de manchettes, enleva la chemise qu'elle envoya rejoindre la robe bleue. Elle dégrafa le haut du pantalon, glissa la main à l'intérieur et s'exclama :

– Oh ! la, la !

Cinq minutes plus tard, ils étaient au lit ensemble.

Hawes était nu, Annie ne portait que la chaîne en or et le pendentif. Il faudrait qu'il lui demande un jour pourquoi elle se refusait à la quitter. Les cris qu'elle poussa pendant l'amour le troublèrent un peu. La dernière femme de ce genre avec qui il avait couché était une sténo de tribunal qui braillait à réveiller les morts chaque fois qu'elle jouissait. Annie criait presque aussi fort qu'elle et aussi souvent. Elle lui dit de ne pas s'en inquiéter : tout le monde dans l'immeuble savait qu'elle était flic. Lui avait totalement oublié.

Comme il avait totalement oublié que la personne qui pendait des jeunes filles aux réverbères, là-bas, dans le secteur du 87, était peut-être le Sourd.

Arthur Brown avait déjà chassé de son esprit l'idée passagère que le tueur de jeunes femmes pouvait être le Sourd. Il avait autant de respect pour le Sourd que les autres membres de la brigade, mais selon lui, un tueur était un tueur. Ils se ressemblaient *tous*, c'étaient tous de *sales types*, le *bon*, c'était lui. En outre, il songeait surtout à se fourrer au lit avec sa femme.

Sa fille Caroline dormait déjà, sa femme Lucy regardait la télévision dans le salon. Brown, qui se trouvait dans la salle de bains, s'essuyait après avoir pris une longue douche très chaude. Il se regarda dans le miroir, découvrit un bel homme et sourit à son reflet. Il se sentait en forme. Ce soir, il enverrait Lucy au septième ciel plusieurs fois. Toujours souriant, il sortit nu de la salle de bains, passa dans la chambre, étendit la serviette humide sur le dossier d'une chaise. Il repéra sur le sol le journal du matin, à l'endroit où Lucy l'avait laissé tomber, se baissa pour le ramasser, en sortit une double page, la plia, fit un trou en son milieu et sourit d'une oreille à l'autre.

Quand Brown entra dans le salon, il ne portait qu'une feuille de journal trouée dont son pénis dépassait. Lucy leva les yeux.

– Tiens, tiens, fit-elle.

Avec un accent noir exagéré, son mari lui demanda :

– Tu crois que c'est vrai, là dis donc, ce que les Blancs disent présentement de l'organe sexuel des Noirs ?

– Apparemment non, répondit Lucy.

– Tu serais prête à faire affaire quand même ? dit Brown.

Lucy s'approcha de lui et déchira la double page en morceaux.

7

De l'endroit où il se trouvait, dans les tribunes, observant Darcy Welles, il pouvait voir qu'elle avait l'étoffe d'une championne. Plus encore que les deux autres.

C'était visible rien qu'à la façon dont elle s'échauffait.

C'était une nouvelle magnifique journée d'octobre et le ciel, au-dessus du stade universitaire, était quasiment sans nuages, d'un bleu aussi aveuglant qu'un éclair de chaleur. Au-delà de la piste, il distinguait la masse des gradins du terrain de football et, plus loin encore, la tour de pierre dominant la cour de l'université. Le campus n'était pas mal pour une ville aussi grande, où l'on ne pouvait vraiment s'attendre à découvrir de vastes étendues de pelouse, des cours ombragées par des arbres. Il l'avait traversé à pied samedi pour reconnaître les lieux, se familiariser avec l'endroit afin de se sentir complètement à l'aise quand il prendrait contact avec la fille. De toute façon, il était toujours à l'aise avec les femmes. Il leur plaisait. Elles le trouvaient très original, peut-être un peu excentrique, mais elles s'attachaient à lui. Les hommes, en revanche, lui posaient des problèmes ; ils ne supportaient pas ses petites manies, sa façon de se comporter : par exemple, il sortait tout à trac d'un restaurant parce qu'il avait assez mangé et se sentait las ; il manquait fréquemment ses rendez-vous ; il refusait de faire comme eux de ridicules insinuations sur ses prouesses sexuelles. Les hommes l'emmerdaient, il préférait les femmes.

Il continuait à observer la fille.

La saison ne débuterait que dans quelques mois – en janvier si la fille participait à des compétitions en salle, en mars pour les grandes épreuves en plein air –, mais naturellement un coureur, une coureuse s'entraînaient toute l'année. Indispensable pour garder la forme. Aussi important pour une femme que pour un homme, plus peut-être. Elle avait déjà effectué trois tours de piste, vêtue du survêtement de l'université : marron, avec un *C* bleu marine sur le sein gauche et le nom de l'établissement barrant le dos du blouson. Elle avait couru le premier tour très lentement (il l'avait chronométrée à trois minutes) puis avait progressivement accéléré jusqu'à couvrir le troisième en deux minutes. Elle accomplissait maintenant son quatrième tour, trottinant pendant les cinquante premiers mètres puis courant les cinquante mètres suivants, revenant dans la ligne droite des tribunes pour donner son maximum dans les cinquante derniers mètres. Elle se reposa un moment, aspirant de grandes goulées d'air, puis commença à mouliner des bras, trente secondes chacun, le poing serré, le bras décrivant un cercle complet autour de l'épaule. Des flexions du buste à présent – elle savait s'entraîner, cette fille – ensuite des mouvements de rotation des hanches et des ciseaux latéraux. Enfin elle s'étendit sur le gazon, au bord de la cendrée, plaça les mains sous les hanches et pédala dans le vide pendant une trentaine de secondes puis fit de nouveaux ciseaux, donnant à ces exercices simples une sorte de grâce. Elle ferait une sacrée sprinteuse.

Une autre fille s'approcha, peut-être un membre de l'équipe, ou simplement une amie venue la voir s'entraîner. Elle ne portait pas de survêtement mais une jupe écossaise, des chaussettes montant aux genoux et un cardigan bleu. Il espérait qu'elle ne traînerait pas dans le coin quand il aborderait Darcy. On était mercredi, troisième jour d'une semaine normale d'entraînement. Le lundi, elle piquait sans doute de petits sprints en partant des blocs de départ : soixante, cent vingt mètres, cela dépendait des programmes d'entraînement. Hier, elle avait probablement couru neuf fois la moitié de la piste, revenant en marchant au point de départ pour récupérer après chaque sprint de deux cents mètres, parcourant à pied toute la piste après les troisième, sixième et neuvième sprints. Dans la plupart des programmes, l'entraînement devenait plus exigeant au fil de la semaine, avec un point culminant le vendredi, un ralentissement le samedi – jour des exercices de musculation – et une journée de repos le dimanche (même Dieu se repose le dimanche), avant de reprendre le cycle le lundi. Bien entendu, l'entraînement devenait plus rude et plus intense quand la saison des compétitions commençait. Darcy Welles se remettait simplement en condition après l'entraînement moins intensif de l'été et du début de l'automne. Il l'imaginait courant sur les routes de campagne de l'Ohio, d'où elle était originaire. Les articles des journaux sur ses capacités étaient très encourageants. Au lycée, son meilleur temps au cent mètres avait été douze secondes trois, pas mal du tout si l'on considérait qu'Evelyn Ashford avait récemment porté le record à dix secondes soixante-quinze. Mais Darcy Welles était encore jeune, elle faisait sa première année à Converse et elle avait l'étoffe d'une championne. La classe olympique, cette fille. Dommage qu'il dût la tuer.

Elle semblait manifestement impatiente de cesser de parler à la nouvelle venue et de reprendre l'entraînement. L'autre fille continua la conversation pendant un moment qui parut interminable puis sourit, agita le bras et s'éloigna. Une expression de soulagement se peignit sur le visage de Darcy. Elle défit son survêtement, le plia soigneusement et le posa sur le banc bordant la piste. Elle portait un maillot sans numéro et un short légèrement fendu sur les côtés pour permettre un mouvement plus facile de ses jambes et de ses cuisses musclées. Elle se tint un instant sur la ligne de départ, regarda la piste puis plaça le pied gauche juste devant la ligne, jambe droite et bras gauche en arrière, bras droit tendu, prit une profonde inspiration et partit.

Il sortit à nouveau son chronomètre et prit le temps de la fille pour le plus long des sprints du troisième jour, augmenté de moitié par rapport à la veille. Trois cents mètres en quarante-cinq secondes puis cinq minutes de marche. Elle commençait à transpirer sous son maillot et son short. Il la regarda ouvrir son sac, sortir ses blocs, placer le premier à une trentaine de centimètres derrière la ligne de départ. Elle mesura la distance pour installer le second, les ajusta tous deux soigneusement.

Puis elle se redressa, huma l'air frais de l'automne, les mains sur les hanches, hésita un moment et se mit en position de départ. Elle était très jolie : des cheveux bruns, des yeux bleus, dix-neuf ans. Dommage qu'elle dût mourir.

Il eut l'impression d'entendre le commandement silencieux qui retentit dans la tête de Darcy :

A vos marques !

Jambe gauche tendue vers le bloc arrière, jambe droite touchant des orteils le bloc avant, mains derrière la ligne, la touchant presque, pouces rabattus. Poids du corps sur le genou gauche, le pied droit et les deux mains. Les yeux fixant la piste à un mètre de la ligne.

Prêt !

Les hanches montent, le corps bascule en avant pour porter les épaules de l'autre côté de la ligne, les plantes des deux pieds appuient fortement sur les blocs, les yeux fixent toujours un point imaginaire à un mètre devant. Un ressort tendu pour une détente soudaine.

Pan !

Un coup de pistolet imaginaire dans la tête de la fille et dans la sienne, le bras droit de Darcy qui part en avant comme un piston, le gauche qui se rejette en arrière, les jambes qui poussent simultanément sur les deux blocs, la gauche qui s'élance pour cette première longue foulée, si importante, la droite qui prend appui sur le bloc, et la fille jaillit.

Quelle magnifique athlète !

Il la chronométra à neuf secondes environ pour chacun de ses six sprints sur soixante mètres, l'observa tandis qu'elle marchait entre chaque course pour récupérer. Trempée de sueur, elle revint finalement au banc, prit une serviette dans son sac, s'essuya le visage et les bras, enfila son blouson de survêtement. Le fond de l'air se faisait frais en cette fin d'après-midi.

Il sourit, remit le chronomètre dans sa poche.

Darcy s'éloignait de la piste, la tête baissée, l'air songeur, ses longues jambes luisantes de transpiration, quand il s'approcha d'elle.

– Miss Welles ? dit-il.

Elle s'arrêta, leva la tête, surprise, le dévisagea de ses yeux bleus.

– Corey McIntyre, annonça-t-il. De *Sports U.S.A.*

– Vous plaisantez ? fit-elle sans cesser de scruter son visage.

– Non, non, assura-t-il en souriant.

Il prit son portefeuille dans sa poche, en sortit une carte de presse plastifiée au nom de Corey McIntyre, journaliste à *Sports U.S.A.*, la lui tendit. Elle examina la carte, poussa une exclamation, la lui rendit.

– Vous êtes Darcy Welles, non ? demanda-t-il.

– Huh-huh, fit-elle.

Il estima qu'elle devait mesurer un mètre quatre-vingt-cinq environ. Ses yeux étaient presque à la hauteur des siens et elle l'observait, attendant la suite.

– Nous préparons un article pour notre numéro de février, déclara-t-il.

– Tiens, sûrement, dit-elle, toujours sceptique.

Il avait encore la carte de presse à la main et fut tenté de la lui montrer de nouveau mais finit par la ranger dans son portefeuille.

– Sur nos jeunes athlètes féminines, reprit-il. Nous ne parlerons pas uniquement des vedettes de la course, bien sûr.

– Tu parles d'une vedette !

– Vous avez attiré l'attention, miss Welles.

– Première nouvelle.

– J'ai votre palmarès complet. Vous avez établi dans l'Ohio un record impressionnant.

– Oui, ce n'était pas mal, je crois.

L'entraînement la faisait rayonner. Elle avait la peau fraîche, les yeux brillants. Tous les athlètes, hommes ou femmes, éclataient de santé. Il enviait sa jeunesse, il enviait son régime quotidien.

– C'était mieux que pas mal, corrigea-t-il.

– Si je pouvais descendre maintenant au-dessous des douze, j'irais danser dans la rue.

– Vous aviez l'air bien, aujourd'hui.

– Vous regardiez ?

– J'ai chronométré les derniers sprints à neuf secondes environ.

– Pour un soixante mètres, ce n'est pas terrible.

– Pour l'entraînement, c'est correct.

– Si je veux faire douze secondes au cent mètres, il faut que je descende à sept.

– Douze, c'est votre objectif ?

– Onze, ce serait mieux, hein ? dit-elle avec un grand sourire. Mais je ne cours pas pour une médaille olympique.

– Pas encore, répondit-il en lui rendant son sourire.

– Ça ne m'arrivera peut-être jamais.

– Votre record personnel dans l'Ohio était de douze secondes, je me trompe ?

– Non. Plutôt merdique, hein ? fit Darcy avec une grimace.

– Non, plutôt bon. Vous devriez voir les records de certains lycées !

– Je les connais. L'année dernière, une Californienne a couru en onze secondes huit.

– Eloise Blair.

– Oui, c'est elle.

– Nous lui demanderons aussi une interview. Elle est à l'U.C.L.A., maintenant.

– *Aussi ?*

– Je croyais avoir mentionné que...

– Oui, oui, mais qu'est-ce que vous voulez dire ?

– Eh bien, j'aimerais vous interviewer.

– Pour *Sports U.S.A.* ?

– Parfaitement.

– Allez ! fit Darcy avec une moue qui lui fit paraître avoir douze ans. Moi, dans *Sports U.S.A.* ? Allez !

– Pas *seule*. Mais nous parlerons des athlètes féminines...

– Universitaires ?
– Pas toutes. Et pas toutes des vedettes de la course.
– Vous revoilà avec vos vedettes !
– L'article portera sur la natation, le basket, la gymnastique... Nous essaierons d'être aussi complets que possible. Et, pardonnez-moi de prononcer encore ce mot, nous nous concentrerons sur les jeunes Américaines d'aujourd'hui qui pourraient être les vedettes de demain.
– Douze secondes trois au cent mètres, ça fait une vedette de demain ? demanda Darcy.
Il prit un ton solennel pour répondre :
– A *Sports U.S.A.*, nous ne sommes pas totalement ignorants de ce qui se passe dans le monde du sport.
Elle examina à nouveau son visage, hochant la tête, intégrant dans son esprit ce qu'il venait de lui dire.
– J'aurais préféré que vous ne me voyiez pas aujourd'hui, finit-elle par répondre. J'étais vraiment mauvaise.
– J'ai trouvé votre style excellent.
– Tu parles d'un style ! Neuf secondes au soixante mètres, c'est fantastique !
– Vous avez beaucoup couru, cet été ?
– Tous les jours. Enfin, pas le dimanche.
– Quel genre de programme suivez-vous ?
– Ça vous intéresse réellement ?
– Tout à fait. D'ailleurs... si vous pouviez m'accorder un peu de votre temps ce soir, nous pourrions peut-être en parler plus longuement. Je m'intéresse surtout à vos objectifs, à vos aspirations, mais tout ce que vous direz sur votre vocation de départ, vos méthodes d'entraînement...
– Dites, vous êtes un vrai journaliste ?
– Je vous demande pardon ?
– C'est pour la Caméra invisible, ou quelque chose de ce genre ?
Elle tourna soudain la tête, comme si elle cherchait une caméra dissimulée quelque part.
– Non, ce n'est pas pour la Caméra invisible, répon-

dit-il en souriant. Je suis Corey McIntyre, de *Sports U.S.A.*, et j'interviewe de jeunes athlètes féminines pour un article de notre numéro de février. Nous nous intéressons surtout aux coureuses parce que c'est le début de la saison, mais nous parlerons aussi...

– D'accord, d'accord, je vous crois, interrompit Darcy. (Elle secoua la tête et sourit d'une oreille à l'autre.) Mince, alors, je n'arrive pas à y croire.

Comme il s'apprêtait à revenir à la charge, elle ajouta :

– Bon, bon, je vous crois. Vous voulez m'interviewer, je vous crois.

– Est-ce que vous pensez pouvoir m'accorder quelques instants ce soir ?

– J'ai une interro de psycho demain...

– Ah ! c'est dommage. Alors, disons...

– Mais j'ai déjà révisé. D'accord pour ce soir, à condition que je me couche de bonne heure.

– Pourquoi ne dînerions-nous pas ensemble ? suggéra-t-il. Je pense pouvoir réaliser l'interview en une seule fois. Ensuite, si vous n'y voyez pas d'inconvénient, nous prendrons rendez-vous pour qu'un de nos photographes...

– Un photographe, mince, alors !

– Si vous êtes d'accord.

– Bien sûr. Je n'arrive pas à y croire.

– Huit heures, cela vous irait ?

– Parfaitement. Ça, alors...

– Si vous pouviez commencer à réfléchir aux sujets que j'ai mentionnés...

– Oui, mes aspirations, mes objectifs.

– L'origine de votre vocation...

– Oui, oui, c'est facile.

– Quelques anecdotes aussi, si possible... Bon, nous verrons tout cela ce soir. Je passe vous prendre ou vous préférez me rejoindre quelque part ?

– Vous pouvez m'attendre près du dortoir ?

– Je pensais à un restaurant du centre. Ce serait plus facile si vous preniez un taxi.

– Comme vous voudrez.

– Demandez un reçu. *Sports U.S.A.* vous remboursera.

– D'accord. Quel restaurant ?

– *Chez Marino*, au coin d'Ulster et de South Haley. A huit heures précises.

– Corey McIntyre, dit Darcy. De *Sports U.S.A.* Ouah !

Dans la chambre tranquille de Nancy Annunziato, Carella et Hawes examinaient les affaires de la jeune fille morte tandis que sa mère et sa grand-mère se déplaçaient en silence de l'autre côté de la porte close. Il n'avait pas été nécessaire d'appeler les techniciens du laboratoire, le crime n'avait pu être commis dans la pièce. Pourtant ils inspectaient les effets personnels de la victime avec autant de soin que s'ils cherchaient des pièces à conviction devant être présentées plus tard au tribunal. Ni l'un ni l'autre n'avait prononcé le nom du Sourd. Ils préféraient croire, pour le moment, qu'il y avait un mobile logique aux pendaisons, que les meurtres n'avaient pas été conçus dans l'ordinateur qui servait de cerveau au Sourd.

Hawes lisait le carnet d'entraînement de la jeune fille, Carella feuilletait son agenda.

Nancy Annunziato avait été tuée le 13 octobre. En se fondant sur la température du corps, sa rigidité, sa lividité et son degré de décomposition, le médecin légiste avait estimé l'heure de la mort à environ vingt-trois heures. Le labo n'avait décelé aucune empreinte sur le portefeuille trouvé sur le lieu du crime : tout en fournissant un moyen d'identifier la morte, le tueur avait néanmoins pris la peine d'essuyer le portefeuille avant de le laisser tomber à ses pieds.

D'après son carnet d'entraînement, Nancy Annunziato s'était réveillée à sept heures trente le jeudi 13 octobre, avec un rythme cardiaque matinal de cinquante-huit pulsations. Elle s'était couchée la veille à vingt-trois heures. Un coup d'œil aux pages précédentes révéla que c'était l'heure à laquelle elle allait au lit d'ordinaire et pourtant, le soir du meurtre, elle se trouvait ailleurs à cette heure-là. Son poids au réveil était de soixante kilos. L'entraînement s'était déroulé en plein air, sur une surface synthétique, par une température de dix-huit degrés, sans vent, et avait commencé à quinze heures trente.

Elle avait fait suivre « l'échauffement habituel » de sprints de quatre-vingts mètres à partir des blocs, avec retour en marchant pour récupérer ; puis de sprints de cent cinquante mètres avec virage et départ debout, enfin de six sprints de soixante mètres à partir des blocs. Elle avait couru au total mille deux cent quatre-vingts mètres ; son poids, qui était de soixante kilos cinq cents avant l'entraînement, était descendu à cinquante-neuf cinq cents. Sous les mots « Indice de fatigue », elle avait inscrit le chiffre cinq, ce qui, selon Hawes, devait marquer le milieu d'une échelle allant de un à dix. Elle avait terminé l'entraînement à seize heures quinze.

La mère de Nancy avait indiqué aux policiers que sa fille était rentrée ce jour-là à dix-huit heures. L'université de Calm's Point ne se trouvant qu'à quinze minutes en métro de chez les Annunziato, il y avait un trou d'une heure et demie dans l'emploi du temps de la jeune fille. Rien dans son agenda ne donnait une idée de la façon dont elle l'avait passée. Elle s'était sans doute douchée et changée là-bas, ce qui ramenait l'intervalle inexpliqué à une heure. Etait-elle allée à la bibliothèque ? Avait-elle bavardé avec des amis, ou rencontré l'homme qui l'avait tuée plus tard ?

A la page du jeudi 13 octobre, son agenda indiquait :

Notes de français
Interro de bio
« Sports U.S.A. » ! ! !

– Qu'est-ce que c'est ? demanda Carella. Un magazine ?

Hawes regarda la page.

– M'ouais, dit-il. Il y en a une pile sur la commode.

– Il paraît sûrement ce jour-là, supposa Carella.

– Alors, elle aurait noté la date pour ne pas oublier de l'acheter ?

– Peut-être. Regarde si elle a le numéro de la semaine dernière, tu veux ?

Hawes s'approcha de la commode, examina la pile de revues.

– *Sports Illustrated*, marmonna-t-il. *Runners World*... Oui, voilà, *Sports U.S.A.*... numéro du 17 octobre... C'est ça ?

– Je suppose. En général, on les date d'une semaine à l'avance, non ?

– Je crois bien.

– Il a quelque chose de spécial, ce numéro ? demanda Carella.

– Comment ?

– Je ne sais pas. Des tuyaux pour courir le quinze cents mètres en trente-huit secondes ?

Hawes feuilleta le magazine un moment.

– Ça parle surtout de foot, commenta-t-il... Mmm, jolie fille, dit-il en montrant à Carella la photo d'une jeune sportive vêtue d'une tenue mouillée de sueur. Un peu large de hanches, mais jolie...

Il se remit à feuilleter la revue.

– Hé !

– Quoi ?

Hawes montra à Carella le placard donnant la composition de la rédaction de *Sports U.S.A.* Dans la liste des journalistes, le nom de Corey McIntyre avait été entouré d'un trait de crayon.

– Pourquoi ? dit Carella.

– La mère le sait peut-être, suggéra Hawes.

Mrs Annunziato n'en savait rien.

— Corey McIntyre ? dit-elle. Non, je ne connais pas ce nom.

— Votre fille ne vous en a jamais parlé ?

— *Mai.* Jamais.

— Ni de ce magazine, *Sports U.S.A.* ?

— Elle l'achète tout le temps. Les autres aussi. Tout ce qui parle de sports ou de course, elle l'achète.

— Mais le nom n'est entouré que dans le numéro du 17 octobre, pas dans les autres, fit observer Carella.

— Je sais pas, dit Mrs Annunziato.

Elle semblait navrée de ne pouvoir fournir aux policiers l'information dont ils avaient besoin. Elle n'avait toujours pas annoncé à son mari la mort de leur fille. Les funérailles avaient eu lieu trois jours plus tôt, mais le père ignorait encore que sa fille avait été assassinée.

— Cet homme n'aurait pas téléphoné, par hasard ? demanda Carella.

— Non, je ne me souviens pas de ce nom.

— Mrs Annunziato, vous nous avez dit que votre fille est rentrée à six heures le jour où elle a été tuée. Elle s'est changée, elle a mis des vêtements plus habillés.

— Oui.

— Parce qu'elle sortait, m'avez-vous dit.

— Oui.

— Mais elle n'a pas précisé où elle allait.

— Elle ne le disait *jamais.* Les jeunes filles, aujourd'hui... fit Mrs Annunziato en secouant la tête.

— A-t-elle parlé d'un rendez-vous avec quelqu'un ?

— Non.

— Elle a quitté la maison à sept heures environ. Un peu après sept heures.

— Oui.

— Elle avait une voiture ?

— Non. Un taxi est venu la prendre.

— Elle avait appelé un taxi ?

— Oui.

— Vous savez de quelle compagnie ?

— Non. C'est un taxi jaune qui est venu...

– Et votre fille ne vous a pas dit où elle allait ?
– Non.
– Elle se couchait généralement vers onze heures, n'est-ce pas ?
– Oui. Elle se levait tôt pour aller à l'université.
– Etiez-vous à la maison le soir où elle a été tuée ?
– Non, j'étais à l'hôpital. C'est le jour où mon mari a eu sa crise cardiaque. J'étais à l'hôpital avec lui, on l'avait mis en réanimation. Il était neuf heures quand c'est arrivé, il rentrait chez nous.
– De son travail ?
– Non, non, de son club. Il appartient à un club de maçons comme lui qui se réunissent une fois par mois.
– Votre mari est maçon, dit Hawes.
– Oui, répondit Mrs Annunziato. Maçon syndiqué, ajouta-t-elle comme pour donner un statut plus élevé à l'emploi de son époux.
– A quelle heure êtes-vous rentrée de l'hôpital ?
– J'y suis restée toute la nuit.
– Toute la nuit ?
– Il était en réanimation, dit Mrs Annunziato, comme pour se justifier.
– A quelle heure êtes-vous rentrée le lendemain matin ?
– Un peu après neuf heures.
– Alors vous ne saviez pas que votre fille n'était pas rentrée de la nuit.
– Non, je ne savais pas.
– Et votre mère, elle était à la maison, cette nuit-là ?
– Oui.
– Vous a-t-elle dit quelque chose de particulier, le lendemain ? Par exemple que votre fille n'était pas rentrée de la nuit ?
– Ça arrivait quelquefois.
– Il arrivait parfois à votre fille de ne pas rentrer de la nuit ?
– Les jeunes d'aujourd'hui, soupira Mrs Annunziato en secouant à nouveau la tête. Moi, mon père m'aurait

tuée... Elle disait qu'elle dormait chez une copine. Une copine, un copain, allez savoir. Il vaut mieux pas demander. Aujourd'hui, il vaut mieux rien savoir. C'était une fille sérieuse, il vaut mieux pas savoir.

– Et votre fille ne vous a jamais parlé de ce Corey McIntyre ?

– Jamais.

Un coup de téléphone au siège de *Sports U.S.A.*, à New York, apprit à Carella que Corey McIntyre travaillait effectivement pour le magazine mais vivait à Los Angeles et couvrait généralement les rencontres se déroulant en Californie du Sud, en qualité de correspondant particulier. Carella précisa à son interlocuteur qu'il enquêtait sur un meurtre, qu'il aimerait beaucoup avoir l'adresse et le numéro de téléphone de Mr McIntyre. L'homme lui demanda d'attendre puis revint en ligne quelques instants plus tard pour annoncer qu'il n'y avait pas de problème et fournir au policier les renseignements demandés.

« Los Angeles, pensa Carella. Formidable ! Qu'est-ce qu'on fait, maintenant ? Supposons que McIntyre soit bien notre homme, qu'il se trouvait ici le 6 octobre, jour du meurtre de Marcia Schaffer, et le 13, jour de l'assassinat de Nancy Annunziato. Si je l'appelle pour lui demander ce qu'il faisait à ces deux dates, il raccroche et file au Mexique. Bravo. »

Carella chercha dans son carnet le numéro de téléphone de la police de Los Angeles, le composa, demanda la Brigade des inspecteurs. Quelqu'un se présenta :

– Branigan.

– Inspecteur Carella, d'Isola. J'ai un problème.

– Je vous écoute, dit Branigan.

Carella lui raconta les meurtres, lui parla du nom entouré d'un trait dans le numéro de *Sports U.S.A.* de Nancy Annunziato. Il précisa que l'homme habitait Los

Angeles, qu'il craignait de l'effrayer en lui téléphonant – s'il était bien le tueur.

Branigan écouta puis demanda :

– Bon, alors, quoi ? Vous voulez qu'on envoie quelqu'un, c'est ça ?

– Je pensais que...

– Supposons qu'on se pointe chez lui et qu'il nous raconte qu'il jouait au bowling les soirs des meurtres ? « Merci beaucoup, m'sieur, qu'on lui répond, pouvez-vous nous dire avec qui ? » Et il nous sort trois noms. Supposons ensuite que nous partions de chez lui pour aller vérifier auprès des trois gars, qui peut-être n'existent pas. Notre bonhomme, qu'est-ce qu'il fait pendant ce temps ? S'il est le tueur, il se débine en Chine. Exactement ce que vous avez peur de provoquer avec un coup de téléphone. On aura perdu du temps pour rien. Si c'est bien lui, il va pas nous dire qu'il était dans l'Est en train de trucider ces deux filles, hein ? Surtout qu'il est probablement assez futé pour savoir qu'on n'a pas le droit de l'arrêter ici si vous n'avez pas des accusations précises contre lui de votre côté.

– Je me disais que si vous l'interrogiez *à fond*...

– Vous connaissez le jugement Miranda-Escobedo, dans votre coin, ou vous travaillez en Russie ? Seconde supposition : on va chez le type, il a rien de bien fameux comme alibi pour les deux nuits, ou même il nous dit qu'il était effectivement dans l'Est à ces dates-là – encore que ça m'étonnerait qu'il soit assez bête pour dire ça s'il est le tueur. Enfin, disons qu'il fait un suspect potable et on lui balance : « Monsieur, auriez-vous l'amabilité de nous accompagner, nous aimerions vous poser quelques questions. » Il met son chapeau, on l'emmène au commissariat, on le fait asseoir et on lui lit le jugement Miranda. Parce qu'il s'agit plus d'une enquête *générale*, Carella, on a maintenant une situation où l'enquête se *concentre* sur un homme. C'est comme s'il était en état d'arrestation et on ne peut pas lui poser de questions sans l'informer de ses droits. Supposons maintenant qu'il refuse de répondre à toute question, ce qui est son droit. Qu'est-ce qui se passe ? Vous voudriez qu'on l'inculpe de deux meurtres sur la base d'un coup de téléphone de l'Est ?

– Non, certainement p...

– Bien sûr que non. Parce que si vous étiez à ma place et si je vous téléphonais, vous verriez tout de suite le genre d'emmerdes que vous risquez. La Cour suprême n'aime pas les interrogatoires prolongés ni les détentions au secret, Carella. Si ce type la ferme, qu'est-ce qu'on fait ? On le garde au frais jusqu'à ce que vous rappliquiez en avion ? On serrerait tellement les fesses qu'on pourrait plus aller aux gogues !

– Je vois.

– Ecoutez, Carella, je comprends votre problème. Si vous appelez ce mec, si vous commencez à lui poser des questions, il se dit aussitôt « Mauvais », et il fait sa valise. Mais à mon avis, c'est un risque à courir. De toute façon, qu'est-ce qui vous dit que c'est pas quelqu'un de par chez vous qui a piqué au hasard le nom du type dans le magazine pour s'en servir ? Le bonhomme, ici, il est peut-être blanc comme neige.

– Je m'en rends compte.

– Carella, c'est un plaisir de bavarder avec vous, mais moi aussi j'ai mes problèmes, conclut Branigan.

Un déclic mit fin à la communication.

« Qui ne risque rien n'a rien », pensa Carella en levant les yeux vers la pendule de la salle de permanence. Sept heures et demie – il n'était encore que quatre heures et demie sur la côte Ouest. A son bureau, Hawes tapait un rapport sur ce qu'ils avaient appris chez les Annunziato. Les deux hommes travaillaient depuis huit heures du matin ; Carella était fatigué, il mourait d'envie de boire un verre et de prendre une douche chaude. Il baissa à nouveau les yeux vers le morceau de papier sur lequel il avait inscrit l'adresse et le numéro de téléphone de Corey McIntyre. « Bon, je risque », pensa-t-il, et il composa l'indicatif 213 suivi du numéro. Après la quatrième sonnerie, une voix de femme répondit :

– Allô ?

– Corey McIntyre, s'il vous plaît, dit Carella.

– C'est sa femme. Qui est à l'appareil ?

– Inspecteur Carella, du 87e commissariat, à Isola.

– Un moment.

Il entendit des murmures indistincts puis une voix masculine demander : « *Qui ça ?* » Il attendit.

– Allô ? fit la voix d'homme.

– Mr McIntyre ?

– Oui ?

L'homme semblait perplexe. Ou sur ses gardes ?

– Corey McIntyre ?

– Oui ?

– Le journaliste de *Sports U.S.A.* ?

– Oui ?

– Mr McIntyre, je suis désolé de vous déranger, mais le nom de Nancy Annunziato vous dit-il quelque chose ?

Silence à l'autre bout du fil.

– Mr McIntyre ?

– Je réfléchis. Annunziato ?

– Oui. Nancy Annunziato.

– Non, je ne la connais pas. Qui est-ce ?

– Et Marcia Schaffer ?

– Non plus. Vous pourriez m'expliquer... ?

– Mr McIntyre, étiez-vous dans l'Est le soir du 13 octobre ? C'était un jeudi – jeudi dernier.

– Non, jeudi soir, j'étais ici, à Los Angeles.

– Vous souvenez-vous de ce que vous faisiez ?

– Que se passe-t-il ?... Diane, qu'est-ce qu'on a fait jeudi dernier ?

Carella entendit la voix de la femme demander : « Quoi ? »

– Jeudi soir, lui répondit McIntyre. Ce type veut savoir ce que nous faisions... Ecoutez, dit-il, parlant à nouveau dans l'appareil, de quoi s'agit-il ?

– Nous enquêtons sur une série d'assassinats...

– Qu'est-ce que je viens faire là-dedans ?
– Je vous serais reconnaissant...
– Je vais raccrocher, avertit McIntyre.
– Non, je vous en prie.
– Alors donnez-moi une bonne raison de continuer à vous écouter.

Carella prit une profonde inspiration.

– On a trouvé chez la dernière victime un numéro de *Sports U.S.A.* dans lequel votre nom était entouré d'un trait.
– Mon nom ?
– Oui. Dans le placard de la page quatre. Parmi les noms des autres journalistes.
– Qui est à l'appareil ? C'est toi, Frank ?
– C'est encore un coup de Frank, fit la voix moins nette de Mrs McIntyre.
– Frank, si c'est encore une de tes blagues id...
– Mr McIntyre, je vous assure...
– Quel est votre numéro ?
– 377-8024, répondit Carella.
– A Isola, vous dites ?
– Oui.
– Je vous rappelle. En P.C.V., précisa le journaliste avant de raccrocher.

Il rappela dix minutes plus tard. L'appel passa par le standard du commissariat, fut aiguillé sur la salle de permanence, où Carella accepta le P.C.V.

– Bon, vous êtes un vrai flic, convint McIntyre. Alors, qu'est-ce que c'est que cette histoire ? Mon nom entouré d'un trait dans un numéro du magazine ?
– Dans la chambre de la morte.
– Et ça veut dire quoi ?
– C'est ce que je m'efforce de découvrir, répondit Carella.
– Elle a été tuée jeudi dernier, c'est ça ?
– Oui, Mr McIntyre.
– Bon. Et vous voulez savoir où j'étais ce jour-là ?
– Dis-lui ! fit la voix de Mrs McIntyre avec colère.

– Ma femme et moi avons dîné à Brentwood, chez le Dr Joseph Foderman. Nous sommes arrivés là-bas un peu avant huit heures...

– Donne-lui l'adresse, souffla Mrs McIntyre.

– ... et nous en sommes partis un peu après minuit. Il y...

– ... et le numéro de téléphone, ajouta l'épouse du journaliste.

– Il y avait huit personnes en plus de nos hôtes, reprit McIntyre. Je peux vous donner les noms des autres invités, si vous voulez.

– Je ne crois pas que ce sera nécessaire, répondit Carella.

– Vous voulez l'adresse des Foderman ?

– Juste leur numéro de téléphone, s'il vous plaît.

– Vous avez l'intention de les appeler ?

– Oui, monsieur.

– Pour leur dire que je suis soupçonné de *meurtre* ?

– Non. Simplement pour vérifier que vous étiez bien chez eux jeudi dernier.

– Soyez gentil, dites leur que quelqu'un dans l'Est se sert de mon nom, s'il vous plaît.

– Je n'y manquerai pas.

– J'aimerais bien savoir *qui*, grommela McIntyre.

– Nous aussi, soupira Carella. Le numéro, s'il vous plaît.

McIntyre le lui communiqua et ajouta :

– Désolé de m'être énervé.

– Ne t'excuse pas, lança sa femme.

La communication prit fin sur un déclic sonore.

Carella soupira à nouveau, composa le numéro que le journaliste venait de lui donner. Il parla à une femme nommée Phyllis Foderman qui annonça que son mari était à l'hôpital mais lui demanda en quoi elle pouvait lui être utile. Carella se présenta, déclara qu'il y avait lieu de penser que quelqu'un de sa ville se servait du nom de Corey McIntyre, et qu'il s'efforçait de savoir ce que le véritable Mr McIntyre faisait le jeudi soir 13 octobre. Mrs Foderman répondit aussitôt que Corey McIntyre et sa femme Diane avaient dîné chez eux, à Brentwood, et que six autres personnes, en plus d'elle-même et de son mari, pouvaient en témoigner. Carella la remercia avant de raccrocher.

A Isola, tout chauffeur de taxi ayant une licence était tenu de remettre au Bureau des taxis la liste de toutes ses courses de la journée, avec l'origine de l'appel, l'heure de la prise en charge, la destination, l'heure de la fin de la course. Ceci parce que très peu de clients prenaient la peine de jeter un coup d'œil au nom du chauffeur ou au numéro inscrits sur la carte placée bien en évidence sur le tableau de bord, et qu'on appelait souvent le Bureau pour un objet oublié par mégarde dans un taxi. En examinant les listes, le Bureau retrouvait le nom et le numéro du chauffeur, mais c'était presque toujours inutile, car les objets oubliés dans un taxi disparaissaient en moins de dix secondes. Toutefois, ces listes scrupuleusement tenues et mises sur ordinateur permettaient à la police de connaître minute par minute les courses des taxis de la ville.

Carella appela le Bureau sur une ligne spéciale ouverte vingt-quatre heures sur vingt-quatre : simple routine. Il se présenta à l'employée qui prit l'appel et s'informa de la destination d'un taxi ayant chargé un client au 207, Laurel Street, à Calm's Point, vers dix-neuf heures, le jeudi 13 octobre.

– L'ordinateur est en panne, annonça la femme.

– Quand marchera-t-il ?

– Avec les ordinateurs, on ne sait jamais.

– Vous pouvez consulter les listes quand même ?

– Non, tout va dans l'ordinateur.

– J'enquête sur un meurtre, expliqua Carella.

– C'est le cas de tout le monde.

– Pourriez-vous me rappeler plus tard, chez moi, quand l'ordinateur sera réparé ?

– Bien sûr, dit l'employée.

Darcy Welles avait pris un taxi pour se rendre *Chez Marino*, au coin d'Ulster et de South Haley, et avait demandé au chauffeur un reçu que, en s'asseyant, elle tendit par-dessus la table à l'homme qu'elle prenait pour Corey McIntyre, journaliste à *Sports U.S.A.* Elle lui donnait une quarantaine d'années et ne le trouvait pas mal pour un homme de cet âge. En tout cas, il avait l'air en bonne condition physique, quel que soit son âge. Son visage lui était vaguement familier. Elle y pensait depuis qu'elle avait fait sa connaissance, dans l'après-midi, mais ne parvenait pas à se rappeler où elle l'avait déjà vu.

– J'ai vérifié dans le magazine, vous savez, dit-elle tandis qu'il faisait signe au serveur.

– Je vous demande pardon ? dit-il en inclinant la tête comme s'il avait mal entendu.

– Pour voir si vous êtes un vrai journaliste, reprit Darcy en souriant. J'ai regardé dans la liste du personnel, là où il y a la rédaction et tout le reste.

– Et je suis un *vrai* journaliste ? demanda-t-il en lui rendant son sourire.

Elle secoua la tête d'un air gêné.

– Je... je m'excuse mais... Ce n'est pas tous les jours qu'un type de *Sports U.S.A.* frappe à ma porte.

– Bonsoir, monsieur, dit le garçon en s'approchant de leur table. Un apéritif ?

– Darcy ?

– J'ai commencé l'entraînement.

– Un verre de vin ?

– Je ne devrais pas...

– Du vin blanc pour mademoiselle et un Dewar avec glaçons pour moi, commanda le faux McIntyre.

– Bien, monsieur. Voulez-vous consulter le menu tout de suite ou préférez-vous attendre un peu ?

– Nous attendrons.

– Rien ne presse, assura le serveur. Merci, monsieur.

– C'est vraiment chouette, ici, apprécia Darcy en parcourant la salle des yeux.

– J'espère que vous aimez la cuisine italienne.

– Qui ne l'aime pas ? Je dois juste faire attention aux calories, c'est tout.

– Nous avons publié un article selon lequel un athlète a besoin de deux fois plus de calories que quelqu'un qui ne fait pas de sport.

– Ça, je peux vous dire que j'aime manger.

– Il n'est pas rare qu'un coureur absorbe quatre mille calories par jour.

– Quand on aime, on compte pas, dit la jeune fille en riant.

– Bien... Parlez-moi un peu de vous.

– Vous savez, c'est drôle, mais...

– Vous voyez un inconvénient à ce que j'utilise un magnétophone ?

– Quoi ? Oh ! je ne sais pas. Je veux dire, je n'ai jamais...

Il avait déjà placé un petit appareil sur la table, entre eux.

– Si cela vous gêne, je me contenterai de prendre des notes.

– Non, ça ira, je crois.

Elle le regarda appuyer sur plusieurs boutons.

– Le voyant rouge signifie qu'il est en marche, le vert qu'il enregistre, expliqua-t-il. Bon, vous disiez ?

– Juste que c'est drôle la façon dont vos questions de cet après-midi m'ont fait réfléchir. Vous savez ce que ma mère a dit, sur ma vocation de coureuse ?

– Votre mère ?

– Oui, je lui ai téléphoné.

– Dans l'Ohio ?

– Bien sûr. Ce n'est pas tous les jours que la petite Darcy Welles se fait interviewer par *Sports U.S.A.*

– Elle était contente ?

– Elle a failli en mouiller sa culotte... Oh ! ce machin enregistre, non ? s'exclama Darcy en regardant le magnétophone. En tout cas, elle a dit que j'ai commencé à tricoter des jambes parce que mon frère n'arrêtait pas de me courir après.

– C'est une merveilleuse anecdote.

– Mais moi je pense – j'ai vraiment réfléchi, vous savez –, je pense que je fais de la course pour le sentiment de bien-être qu'on éprouve. Vous voyez ce que je veux dire ?

– Parfaitement.

– Vin blanc pour madame, Dewar avec glaçons pour monsieur, annonça le serveur en posant les verres sur la table. J'apporte les menus ?

– Dans un instant.

– Certainement, monsieur, dit le garçon avant de s'éclipser.

– Pas seulement sur le plan physique, poursuivit Darcy. Bien sûr, il y a cet aspect, le sentiment d'avoir un corps fonctionnant parfaitement...

– Oui.

– Mais on se sent bien aussi *mentalement*. Quand je cours, je ne pense qu'à courir, vous comprenez ?

– Je comprends.

– Aucune autre pensée ne m'encombre l'esprit. J'ai l'impression d'avoir l'intérieur du crâne propre et net. J'entends ma respiration, et c'est le seul bruit au monde...

– Oui.

– Tous les petits problèmes, les soucis disparaissent. C'est comme si... comme s'il neigeait dans ma tête. La neige recouvre les saletés, les tracas, tout devient d'un blanc immaculé. Voilà comment je me sens quand je cours – comme si c'était Noël toute l'année. Tout est blanc, beau et doux.

– Oui, dit-il, je sais.

Il était neuf heures et demie du soir quand Carella rappela de chez lui le Bureau des taxis. Les jumeaux dormaient et Teddy, assise en face de lui dans la salle de séjour, lisait les petites annonces des journaux du soir et du matin, entourant celles qui semblaient intéressantes. Cette fois, ce fut un homme qui répondit et Carella demanda l'employée à qui il avait parlé auparavant.

– Je l'ai relevée à huit heures, répondit l'homme.

– L'ordinateur fonctionne ?

– Comment ça ? Pourquoi il marcherait pas ?

– Il était en panne quand j'ai appelé à sept heures et demie.

– Ben, maintenant, il marche.

– Votre collègue n'a pas laissé une note disant de m'appeler ? Je suis l'inspecteur Carella, j'enquête sur un meurtre.

– Je ne vois rien sur le tableau des messages.

– Bon, je cherche des informations sur une course partie du 207, Laurel Street, à Calm's Point...

– Quand ? demanda l'employé, que Carella imagina tapant sur un clavier d'ordinateur.

– Le 13 octobre.

– Quelle heure ?

– Dix-neuf heures environ.

– 207, Laurel Street, répéta l'homme. Calm's Point.

– C'est cela.

– Oui, la voilà.

– Quelle destination ? demanda Carella.

– 1118, South Haley.

– A Isola ?

– A Isola.

– A quelle heure ?

– Dix-neuf heures quarante-cinq.

– Aucune indication de ce que c'est, le 1118 ? Un immeuble, un magasin ?

– Juste l'adresse.

– Merci, dit Carella.

– A votre service, répondit l'homme avant de raccrocher.

Carella réfléchit un moment, puis regarda dans son carnet s'il avait le numéro du Bureau d'enquête des pompiers. Ne le trouvant pas, il appela le 87e commissariat. Dave Murchison, le sergent de service, informa l'inspecteur que la nuit était relativement calme et demanda ce qui lui valait le plaisir de l'entendre. Carella répondit qu'il avait besoin du numéro du Bureau d'enquête des pompiers.

Il était dix heures moins vingt quand il obtint la communication.

– B.E.P., annonça un homme à l'autre bout du fil.

– Inspecteur Carella, du 87e. J'enquête sur un meurtre.

– M'ouais.

– J'ai une adresse à South Haley, je voudrais savoir si c'est de l'habitation ou du commercial.

– South Haley, fit l'homme. Je crois que c'est la caserne 41. Je vous donne leur numéro, ils vous renseigneront. Une seconde...

Carella attendit.

– 914-3700. Si le capitaine Healey est là, saluez-le de ma part.

– Entendu, promit l'inspecteur.

Il était dix heures moins le quart quand un pompier lui repondit :

– Caserne 41, Lehman à l'appareil.

– Inspecteur Carella, 87e commissariat. Je suis sur une affaire de meurtre...

– Mince !

– ... et je m'intéresse au 1118, South Haley. Qu'est-ce que c'est ? Un immeuble d'habitation, des bureaux ?

– Je vous entends à peine, dit Lehman. Hé ! les gars, un peu moins de chambard ! cria-t-il, sans doute à l'intention de ses camarades. Ils jouent au poker, expliqua-t-il à Carella. C'est quelle adresse, déjà ?

– 1118, South Haley.

– Ne quittez pas, je regarde la carte.

Le policier attendit. Une voix lointaine s'écria : « Putain de Dieu ! » et il se demanda qui venait de découvrir un flush royal en retournant sa carte.

– Vous êtes toujours là ? demanda Lehman.

– Toujours.
– Le 1118, South Haley est un bâtiment de six étages, avec des bureaux dans les étages, un restaurant au rez-de-chaussée.
– Comment s'appelle le restaurant ?
– *Chez Marino.* J'y ai jamais mangé mais il paraît que c'est bon.
– Bien, merci.
– Il y a un gars qui vient de toucher quatre as, dit Lehman avant de raccrocher.
Carella chercha dans l'annuaire d'Isola le numéro du restaurant, le composa, se présenta à l'homme qui décrocha.
– Pourriez-vous jeter un coup d'œil à votre liste de réservations pour la soirée du 13 octobre – c'était jeudi dernier.
– Bien sûr, à quelle heure ?
– Vers les huit heures.
– A quel nom ?
– Corey McIntyre.
Carella entendit un bruissement de papier puis l'homme répondit :
– Oui, voilà : McIntyre, à huit heures.
– Pour combien de personnes ?
– Deux.
– Vous vous rappelez qui c'était ?
– Non, désolé, nous avons beaucoup de clients, je ne peux pas... Attendez, McIntyre, vous dites ?
– McIntyre, oui.
– Un instant.
Il y eut un nouveau bruit de feuilles à l'autre bout du fil.
– Oui, c'est bien ce que je pensais, fit l'employé. Il est ici ce soir.
– Quoi ?
– Il est venu à huit heures, il avait réservé pour deux. La table quatre. Un moment, s'il vous plaît...
Carella attendit.

– Désolé. Il vient de partir, il y a cinq minutes.

– Avec qui était-il ?

– Une jeune fille, d'après le garçon.

– Bon Dieu ! s'exclama Carella. Jusqu'à quelle heure restez-vous ouvert ?

– Onze heures et demie-minuit, ça dépend. Pourquoi ?

– Demandez au garçon de ne pas bouger.

Le garage-parking se trouvait à deux cents mètres du restaurant. Une pancarte accrochée au mur avisait tout automobiliste intéressé du prix exorbitant réclamé pour s'y garer et promettait qu'il n'y aurait rien à payer si la voiture n'était pas amenée à son propriétaire dans les cinq minutes suivant la remise du ticket.

Il avait remis son ticket sept minutes plus tôt. L'employé du garage, qui aurait mieux fait d'être coureur de Grand Prix, fit crisser les pneus du véhicule dans le virage en épingle à cheveux de la rampe dans l'espoir d'arriver avant l'expiration du délai, et peut-être de sauver son boulot.

MacIntyre se demandait si on le laisserait vraiment partir sans payer mais il n'allait pas discuter pour deux ou trois minutes. Ce soir, rien ne devait le retarder.

– Vous n'êtes vraiment pas obligé de me ramener, vous savez, dit Darcy. Je peux prendre un taxi.

– C'est un plaisir pour moi, assura-t-il.

La voiture s'arrêta devant eux et l'employé du garage, un Portoricain d'une cinquantaine d'années, descendit en déclarant :

– Yuste à temps. Cinq minoutes.

Sans le contredire, il lui donna cinquante cents de pourboire, tint la portière ouverte pour Darcy, la referma quand elle fut montée et s'installa au volant de sa voiture. C'était une Mercedes-Benz 250 SL de quinze ans qu'il avait achetée quand l'argent coulait encore à flots. La publicité dans les journaux, à la télévision. C'était loin.

Hawes était au lit avec Annie Rawles quand le téléphone retentit. Il tourna la tête vers la pendulette posée sur la table de chevet : dix heures moins dix.

– Laisse-le sonner, grogna Annie.

Il la regarda, lui dit avec les yeux qu'il devait décrocher, elle lui répondit avec les siens qu'elle connaissait la triste réalité du métier de flic. Il roula sur le côté, souleva l'appareil.

– Hawes, annonça-t-il.

– Cotton, c'est Steve.

– Ouais, Steve.

– J'espère que je ne te dérange pas.

– Non, non, dit-il en roulant des yeux à l'intention d'Annie.

Elle était nue mais avait gardé sa chaîne en or et son pendentif, avec lesquels elle jouait. Il ne lui avait pas encore demandé pourquoi elle ne les enlevait jamais.

– Notre homme vient de quitter le restaurant *Chez Marino,* situé au 1118, South Haley, dit Carella. Tu peux filer là-bas interroger le garçon qui l'a servi ?

– Il y a le feu ?

– Il était avec une jeune fille.

– Merde, je pars tout de suite.

– Je te rejoins là-bas.

Les deux hommes raccrochèrent.

– Il faut que j'y aille, dit Hawes en se levant.

– Je t'attends ici ? demanda Annie.

– Je ne sais pas si ce sera long. Nous avons peut-être une piste.

– J'attends, décida Annie. Si je dors quand tu rentres, réveille-moi.

Elle marqua une pause avant d'ajouter :

– Tu sais comment.

– C'est vraiment très gentil de votre part, dit Darcy. Faire un pareil détour...

– C'est ma façon de vous remercier de cette merveilleuse interview, répondit-il.

Ils se dirigeaient vers l'université, située à l'est de la ville, et venaient de franchir le pont Hamilton, dont les lumières, accrochées aux câbles de suspension et aux piliers, éclairaient les eaux sombres de River Harb. Quelque part sur l'eau, un remorqueur fit sonner sa corne. Sur la rive opposée, les tours de l'Etat voisin tentaient hardiment et vainement de rivaliser avec les lignes splendides qui se découpaient en face d'eux.

La pendule du tableau de bord indiquait vingt-deux heures sept et la circulation était plus intense qu'il ne l'avait prévu. Généralement, les banlieusards quittaient la ville entre dix-sept et dix-huit heures, les gens qui étaient allés au spectacle rentraient chez eux vers vingt-trois heures. Il gardait les yeux sur la route pour éviter d'avoir un accident. Il ne voulait pas la perdre, maintenant qu'il touchait presque au but.

– Vous pensez avoir tout ce qu'il vous faut ? demanda-t-elle.

– C'est une excellente interview, affirma-t-il. Vous avez de la facilité à vous exprimer.

– Oh ! sûrement.

– Je suis sincère. Vous savez analyser vos sentiments les plus profonds. C'est très important.

– Vous croyez ?

– Sinon, je ne vous le dirais pas.

– Avec vous... c'est facile, de parler. Les mots coulent tout seuls, je ne sais pas pourquoi.

– Merci.

– Vous voulez me faire plaisir ?

– Certainement.

– Ça va vous paraître idiot...

– On va bien voir.

– Est-ce... est-ce que je pourrais entendre ma voix ?

– Sur la bande, vous voulez dire ?

– Oui. C'est idiot, hein ?

– Non, c'est tout à fait normal.

Il plongea la main dans la poche de sa veste, tendit le magnétophone à la jeune fille.

– Vous voyez le bouton marqué REW ? Il suffit d'appuyer dessus.

– Celui-ci ?

Il détacha ses yeux de la route un instant.

– Oui. Attendez, il faut d'abord appuyer sur le bouton ON-OFF...

– D'accord.

– Maintenant, rembobinez.

– D'accord.

– Et appuyez sur le bouton PLAY.

Darcy appuya, sa voix retentit dans la voiture : « ... songe même pas aux jeux Olympiques pour le moment. C'est un rêve pour moi, de participer un jour aux Jeux... »

– Oh ! c'est horrible ! s'exclama-t-elle.

« ... Je n'y ai jamais pensé consciemment. Tout ce qui m'intéresse aujourd'hui, c'est de devenir la meilleure possible. Si je descends au-dessous de douze, alors, *alors*, je pourrai peut-être commencer à penser à... »

– Une vraie gosse de six ans ! dit Darcy avant d'arrêter la bande. Comment avez-vous pu écouter toutes ces bêtises ?

– J'ai trouvé vos propos très riches en informations.

– Je remets l'appareil dans votre poche ou je le laisse sur le siège ?

– Vous pouvez faire avancer la bande, s'il vous plaît ?

– Comment on fait ?

– Le bouton FF. Jusqu'à la fin de l'enregistrement.

Darcy procéda à l'aveuglette, faisant avancer la bande, l'arrêtant, la faisant avancer de nouveau, jusqu'à tomber sur la fin de leur conversation au restaurant.

– Là, ça doit y être, dit-elle. Hé, vous ratez la sortie !

– Je voudrais vous montrer quelque chose. Vous avez une minute ?

La voiture passa devant le panneau indiquant la direction de Hollis Avenue et de Converse University.

– Oui, bien sûr, répondit Darcy d'un ton hésitant. Que voulez-vous me montrer ?

– Une statue.

– Une statue ? répéta-t-elle avec une moue. Quelle sorte de statue ?

– Vous savez qu'un coureur a sa statue, dans cette ville ?

– Vous blaguez, non ? Qui aurait l'idée d'édifier une statue à un coureur ?

– Ah-ah. Je savais que vous seriez surprise.

– Un *coureur* ? Où elle est, cette statue ?

– Pas loin d'ici. Si vous avez une minute.

– Je ne voudrais rater ça pour rien au monde, déclara la jeune sportive.

Elle hésita à nouveau avant d'ajouter :

– Vous êtes amusant, vous savez ? Vraiment, on ne s'ennuie pas avec vous.

Il n'y avait pas de sirène sur la voiture personnelle de Carella. Conduisant aussi vite qu'il le pouvait, grillant autant de feux rouges que possible sans écraser de piétons ou emboutir d'autres voitures, il mit cependant une demi-heure pour arriver au restaurant. Pendant ce temps, Hawes avait parlé au serveur et interrogeait maintenant le maître d'hôtel qui avait pris la réservation de McIntyre au téléphone. Quand Carella entra *Chez Marino*, Hawes s'excusa et s'avança vers son collègue, qui semblait aussi essoufflé que s'il était venu à pied.

– Quelque chose d'intéressant ? demanda Carella.

– Oui. Le type qui a réservé s'est présenté sous le nom de Corey McIntyre...

– Qui se trouve à Los Angeles, interrompit Carella.

– Exact, mais le maître d'hôtel confirme que le gars qui se fait passer pour lui a dîné ici aussi la semaine dernière.

– A quoi il ressemble, le faux McIntyre ?

– Un peu moins de quarante ans, d'après le serveur.

Un mètre quatre-vingt-dix, quatre-vingts kilos, cheveux châtains, yeux marron, moustache, pas de cicatrices ni de tatouages visibles. Costume marron clair, cravate jaune, chaussures marron. Pas de pardessus, d'après la dame du vestiaire.

– Comment a-t-il réglé l'addition ?

– Chou blanc de ce côté, Steve. En liquide.

– Et la fille ?

– Le serveur lui donne dix-huit-dix-neuf ans. Mince, un corps sec et nerveux, pour reprendre ses termes. Je croyais que les hommes seulement étaient secs et nerveux, commenta Hawes avec un haussement d'épaules. Enfin... Un mètre quatre-vingt-cinq environ. Cheveux bruns, yeux bleus.

– Le serveur a entendu son nom ?

– Darcy. Quand il leur a proposé l'apéritif, le gars s'est tourné vers la fille et a dit : « Darcy ? » Elle a répondu qu'elle avait commencé l'entraînement.

– Une autre sportive ? Nom de Dieu ! s'exclama Carella.

– Une *coureuse*, Steve.

– Comment le sais-tu ?

– Le serveur les a entendus parler de course à pied, du bien que ça fait mentalement et physiquement.

– C'est un témoin sûr ?

– Précis comme une montre suisse. Il a une mémoire d'éléphant.

– Quoi d'autre ?

– Le gars enregistrait ce que disait la fille avec un magnétophone posé sur la table. Il l'a arrêté pendant qu'ils mangeaient et l'a remis en marche au café. D'après le garçon, il ne cessait de lui poser des questions, comme pour une interview.

– Il n'aurait pas entendu le nom de famille de la fille, par hasard ?

– Tu attends un miracle ?

– Comment était-elle habillée ?

– Robe et hauts talons rouges, barrette de même

couleur dans les cheveux. Coiffée en arrière – pas une queue-de-cheval mais les cheveux tirés en arrière et maintenus par la barrette.

– On devrait engager ce serveur, suggéra Carella. Ils sont partis comment ?

– Le portier leur a proposé un taxi, le type a décliné.

– Ils ont marché ou quoi ? Il les a vus monter dans une voiture ?

– Ils ont marché.

– Dans quelle direction ?

– Vers Jefferson.

– Ils se baladent peut-être encore. C'est quel secteur, ici ? Midtown South, non ?

– Jusqu'à Hall Avenue. Ensuite, c'est North.

– On prévient par radio les *deux* commissariats. S'ils sont toujours en train de marcher, une voiture de ronde les repérera peut-être.

– Tu sais combien il y a de parkings dans le coin ? dit Hawes. Suppose que le type ait une bagnole ?

– On cherche, décida Carella. C'est notre boulot.

Il avait quitté l'autoroute juste avant le péage séparant Isola de Riverhead et se dirigeait à présent vers Diamondback River et le parc bordant sa rive droite. La statue, selon lui, se trouvait dans ce parc. La fille semblait désireuse de la voir mais il sentait que les rues par lesquelles ils passaient maintenant la rendaient un peu nerveuse. A leur droite se dressait la vieille halle aux poissons de Maurice Avenue, avec ses vitres cassées par des vandales, ses murs autrefois blancs à présent couverts de graffiti. Juste derrière, il y avait l'immeuble séculaire abritant le 84e commissariat, dont des globes verts encadraient le perron. Il avait délibérément pris cette rue dans l'espoir que la vue d'un commissariat rassurerait la fille. Il passa devant plusieurs voitures de police garées dans le tournant, remarqua un policier en tenue qui descendait le perron.

– On se sent mieux de les savoir dans le coin, non ? fit-il.

– Vous pouvez le dire. Quel quartier !

– Nous y sommes, annonça-t-il quand ils furent près du parc.

La pendule du tableau de bord indiquait vingt-deux heures trente-sept.

– C'est lugubre, par ici, murmura Darcy.

– La police fait fréquemment des rondes, assura-t-il.

Il mentait. Il avait reconnu les lieux à trois reprises, le soir, et n'avait pas vu un seul policier dans les allées du parc, malgré la proximité du commissariat. De plus, l'endroit passait pour être dangereux la nuit et les piétons s'y aventuraient rarement après neuf heures. Il n'avait repéré que deux personnes au cours de ses expéditions nocturnes précédentes : une fille qui avait l'air d'une prostituée, à genoux devant un marin dans un buisson.

Il gara la voiture à quelque distance du réverbère le plus proche, fit le tour de la Mercedes pour ouvrir la porte à Darcy. Au moment où elle descendait de voiture, il mit en marche le magnétophone qu'il avait glissé dans sa poche.

– On pourra la voir, cette statue ? demanda Darcy. Il fait noir, par ici.

– Oh ! il y a de la lumière.

Il y avait en effet des réverbères : de vieux modèles verticaux composés d'un seul poteau qui soutenait un globe protégeant une ampoule. Ils n'avaient pas de bras retombant au-dessus de l'allée et il trouvait cela dommage car, cette fois, il aurait préféré pendre la fille à l'endroit même où il allait la tuer.

Un muret de pierre entourait le parc, dont l'entrée était flanquée de deux piliers également en pierre, surmontés chacun d'un globe. Mais ils n'éclairaient ni l'un ni l'autre, ils avaient été brisés tous les deux. Le trottoir et l'allée du parc partant de l'entrée étaient plongés dans une obscurité presque totale.

– Il faudrait une lampe électrique, dit Darcy.

– Les vandales ! Mais il y a un réverbère un peu plus loin.

Ils pénétrèrent dans le parc.

– Elle représente qui, cette statue, au fait ? demanda la jeune fille.

– Jesse Owens.

Il mentait à nouveau. La seule statue du parc était celle d'un obscur colonel à cheval qui, selon la plaque en bronze de son socle, avait vaillamment combattu à la bataille de Gettysburg.

– Vraiment ? Ici ? s'étonna Darcy. Je le croyais de Cleveland.

– Vous le connaissez ?

– Bien sûr. Il a battu tout le monde à plates coutures... quand exactement ?

– En 1936. Aux jeux Olympiques de Berlin.

– C'est ça. Il a ridiculisé Hitler et ses théories aryennes.

– Dix secondes six au cent mètres, dit-il en hochant la tête. Il a battu le record du monde du deux cents en vingt secondes sept et il a aussi gagné le relais quatre fois cent mètres.

– Sans parler du saut en longueur, ajouta Darcy.

– Vous le connaissez réellement, on dirait, fit-il en souriant.

– Naturellement, je fais de la course.

Ce fut alors qu'il passa à l'action.

Il avait l'intention de procéder aussi rapidement et facilement que pour les deux autres. Une prise de bras modifiée, destinée ni à la faire tomber ni à lui courber le dos mais à la contraindre à porter le poids de son corps sur sa jambe gauche, exposant son flanc. Une fois le bras gauche de la fille en extension, il passerait sous sous aisselle et avant qu'elle puisse tourner la tête, il lui saisirait la nuque avec un nelson. Se portant derrière elle, il glisserait son autre main sous son aisselle droite, remonterait pour lui emprisonner la nuque avec un double nelson. Puis il appuierait, lui plaquerait le menton sur la poitrine et, augmentant la pression, lui briserait la nuque.

Mais à peine lui prit-il le poignet qu'elle s'écarta en criant et en se débattant. Il la tira vers lui, essaya de glisser son bras sous le sien pour placer son nelson, mais elle lui donna un coup de coude dans les côtes et lui écrasa le pied de sa chaussure à haut talon.

Malgré la douleur, il ne lui lâcha pas le poignet. Ils luttèrent avec acharnement et sans bruit, raclant de leurs pieds la mince couverture de feuilles mortes de l'allée. Leurs corps s'agitaient dans la lumière du réverbère et dessinaient des ombres bizarres sur le sol. Elle ne le laissait pas placer sa prise, tirant pour dégager son poignet, attaquait chaque fois qu'il tentait de glisser son bras sous le sien. Comme elle revenait à la charge, lui griffant le visage de la main droite, il la frappa. Son poing gauche l'atteignit au milieu de la poitrine, entre ses seins fermes de sportive, lui coupant la respiration. Il la frappa à nouveau, cette fois au visage, lui décocha une grêle de coups rageurs parce qu'elle lui créait des difficultés, parce qu'elle refusait de coopérer à sa propre mort. D'un jab très sec, il lui brisa le nez. Du sang jaillit sur son poing, fit une tache d'un rouge plus sombre sur le devant de la robe. Elle haletait à présent, les yeux écarquillés de frayeur. Il cogna encore, lui cassant les dents de devant, et lorsqu'elle commença à tomber vers lui, il glissa prestement son bras sous le sien, plaça sa prise, passa complètement derrière elle, son bas-ventre pressé contre ses fesses. Son autre bras compléta le double nelson, il noua les doigts de ses deux mains derrière la nuque de la fille, écarta les jambes pour répartir le poids de son propre corps et appuya.

Il entendit le cou céder avec un craquement sec.

La fille s'effondra contre lui.

Il la souleva dans ses bras, jeta un rapide coup d'œil autour de lui et tourna en direction de l'entrée du parc.

Un homme se tenait entre les deux piliers aux globes

brisés. La lumière du réverbère de la rue projetait son ombre sur le sol.

L'homme le regarda et s'enfuit en courant.

8

– Tiens, tiens, dit l'inspecteur de première classe Oliver Weeks.

Il était rare de voir quelqu'un de race blanche dans le quartier. A Diamondback, les Blancs étaient des flics ou des types venus tirer un coup avec une putain. Il était aussi peu courant d'y voir une *femme* blanche. Dans le coin, il y avait des tas de filles à la peau jaune, comme disait Ollie, mais elles n'étaient pas blanches, bien sûr. Lorsqu'on a la moindre goutte de sang noir, on n'est pas blanc – du moins, c'était ainsi qu'Ollie Weeks voyait les choses. Il était donc rare de voir une jeune Blanche dans le quartier à huit heures du matin, plus rare encore de la voir pendue à un réverbère. Les flics de la Criminelle trouvaient eux aussi que cela sortait de l'ordinaire et tout le monde commentait la rareté de l'événement quand le médecin légiste arriva.

Lui ne trouva pas cela tellement rare, une fille pendue à un réverbère. Ils ne lisaient donc jamais les journaux, ne regardaient jamais la télévision ? Ils ne savaient pas que, au cours des deux dernières semaines, *deux* autres filles avaient été découvertes pendues à un réverbère, assez haut pour que tout le monde puisse regarder sous leur robe ? Tous les policiers attroupés regardèrent sous la robe rouge de la morte et virent qu'elle portait des panties assortis.

– Quand même, dit Ollie. Ici, dans le 83e, c'est rare de trouver un macchabée qui soit pas un nègre.

L'un des agents mettant en place les barrières autour du lieu du crime était noir. Il ne releva pourtant pas la remarque dépréciative parce que le gros Ollie avait plus de galon que lui et ne savait pas que le mot « nègre » était dépréciatif. C'était sa façon de parler, il ne pensait pas à mal. « Certains de mes meilleurs amis sont des nègres », aimait à proclamer Ollie Weeks. En fait, il estimait que le meilleur flic du 83 – à part lui-même, bien sûr – était un nègre et il ne manquait pas une occasion d'affirmer à qui voulait l'entendre que Parsons était le meilleur flic bougnoule de la ville.

Dix minutes plus tard, quand on eut détaché la fille, les policiers et le médecin légiste s'assemblèrent autour d'elle comme pour une partie de passe anglaise ambulante.

– Il l'a bien travaillée avant, hein ? fit observer un des policiers de la Criminelle nommé Matson.

– Il lui a pété la moitié des dents, ajouta son collègue, qui s'appelait Manson.

C'était un nom lourd à porter (1) pour un policier, et ses collègues ne se privaient pas de faire des plaisanteries à ce propos.

– Il lui a cassé le nez, on dirait.

– Sans parler du cou, dit le médecin. Qui est chargé de l'affaire ?

– Moi, répondit Ollie. Je suis drôlement verni.

– La mort a été causée par fracture des vertèbres cervicales.

– C'est du sang qu'elle a sur sa robe ? demanda Matson.

– Non, c'est de la sauce, grommela Ollie. Qu'est-ce que tu veux que ce soit ?

– Où ça ? voulut savoir Manson.

– Entre les nichons, répondit Matson.

– Jolis petits rototos, apprécia son collègue.

– J'ai jamais entendu cette expression.

– Des rototos ? C'est courant.

– Jamais entendu. C'est des nichons, des rototos ?

(1) Allusion au tueur fou du même nom. *(N.d.T.)*

– Là où j'ai grandi, tout le monde appelait ça des rototos, répliqua Manson, froissé.

– Où c'était ?

– A Calm's Point.

– Tout s'explique, dit Matson en secouant la tête.

– Il faudrait peut-être comparer avec les deux autres, suggéra le légiste.

– Elle en a deux autres ? fit Manson.

Il risquait une petite plaisanterie pour retrouver contenance après les moqueries que lui avait valu l'emploi du mot « rototos ». Pourtant, dans son adolescence, on utilisait couramment l'expression pour désigner des nichons, et même de *gros* nichons – non, ça, c'étaient des doudounes.

– Les deux autres *victimes*, soupira le docteur.

– Ça vous intéresse, ça, les gars ? dit le policier noir en s'approchant.

Meyer était à son bureau, coiffé de sa perruque et tapant à la machine. Le postiche ne cessait de glisser un peu sur son crâne, ce qui lui donnait une allure casse-cou. Il vit une masse énorme de l'autre côté de la barrière séparant la salle de permanence et crut un moment qu'il s'agissait du gros Ollie Weeks. Il cligna des yeux : c'était bien le gros Ollie Weeks. Meyer eut aussitôt envie de prendre une douche. Weeks sentait habituellement la fosse d'aisances et quiconque s'approchait de lui se demandait pourquoi il n'attirait pas les mouches.

– Y a quelqu'un ? s'écria l'obèse qui, sans attendre, poussa la porte de la barrière et s'avança.

Meyer, qui était seul dans la salle, garda le silence et regarda Ollie approcher de son bureau : de petits yeux porcins dans un visage rond porcin, un gros ventre saillant au-dessus de la ceinture du pantalon, une veste de sport fripée dont on pouvait croire qu'il dormait avec depuis une semaine. Ollie Weeks le gros lard flottait comme une montgolfière vers le bureau de Meyer.

– Inspecteur Weeks, dit-il en montrant son insigne. Du 83e.

– Sans blague ? rétorqua Meyer.

Qu'est-ce que cela signifiait ? Ollie le connaissait, ils avaient travaillé ensemble auparavant.

– Je suis déjà venu ici, déclara Weeks.

– Vraiment ?

– Ouais, je connais tout le monde. Avant, c'était un petit juif chauve qui grattait à cette place.

Meyer ne s'offusquait pas quand on le présentait comme juif et chauve – il était l'un et l'autre – mais avec son mètre quatre-vingt-dix, il estimait qu'il n'était pas « petit ». De plus, dans la bouche d'Ollie, les trois mots mis ensemble sonnaient comme une insulte.

– C'est moi le petit juif chauve, dit Meyer. Arrête ton boniment, Ollie.

Weeks écarquilla ses petits yeux porcins.

– Meyer ? C'est toi ? Ça alors !

Il se mit à tourner autour du bureau en examinant la perruque.

– Ça te va bien, dit-il. T'as plus l'air juif du tout.

« J'avais vraiment besoin de ça », pensa Meyer en soupirant.

– Justement je voulais te téléphoner, reprit le colosse.

« Je suis heureux que tu ne l'aies pas fait », songea Meyer.

– Y a pas un mec qui a écrit un livre en se servant de ton nom dedans ? poursuivit Weeks.

– Une *femme*, corrigea Meyer.

– Ouais, elle a donné le nom de Meyer Meyer à une personne de son livre, non ?

– Un *personnage* de son livre, rectifia Meyer.

– C'est encore pire. Si je t'en parle – tu connais *Hill Street Blues* ? C'est une série télévisée...

– Je connais.

– J'en ai revu un bout la semaine dernière. Il y a un gars là-dedans, c'est tout piqué sur moi, j'ai l'impression.

– Comment ça, piqué sur toi ?

– Ouais, c'est un flic des Stup'...

– Tu n'es pas de la Brigade des stup', Ollie.

– Je le sais pas, peut-être ? Mais j'ai bossé sur des affaires de drogue, comme toi. D'ailleurs, la première fois que j'ai travaillé avec vous autres, c'était sur une affaire de drogue. Des mecs qui passaient la came dans des petits animaux en bois, tu te rappelles ?

– Je me le rappelle, dit Meyer.

– C'était bien avant que quelqu'un pense à faire *Hill Street Blues.*

– Où veux-tu en venir, Ollie ?

– Voilà. Le type s'appelle Charlie Weeks. A la télé. Charlie, pas Ollie. Mais ça ressemble, tu trouves pas ?

– Je ne vois toujours pas...

– L'autre – y a aussi un juif dans la série – il s'appelle Goldblume, un copain à toi, hein ? Ce type, Goldblume, il raconte au patron, Furillo, que Weeks aime bien jouer du pétard... surtout quand la cible est *noire.* A un moment, y a Weeks qui dit : « Bougez pas, bande de bougnoules, sinon je vous fais sauter le caisson. » En plus, il cogne sur les suspects. C'est un vrai fumier, ce Charlie Weeks.

– Et alors ?

– Alors, est-ce que je suis un fumier, moi ? Est-ce qu'Ollie Weeks est du genre à taper sur les suspects ?

Meyer ne dit rien.

– Est-ce qu'Ollie Weeks ne respecte pas les nègres ?

Meyer ne dit toujours rien.

– Ce que je pense faire, c'est attaquer la société qui produit *Hill Street Blues.* Pour passer à la télé un flic qui a un nom exactement comme le mien et qui s'amuse à tirer sur les nègres et à bousculer les gens qu'il interroge. Ce genre de merde peut filer mauvaise réputation à un *vrai* flic, même s'ils appellent l'autre *Charlie* Weeks dans leur putain de série télévisée.

– Je crois que tu as toutes les chances de gagner ton procès, répondit Meyer d'une voix neutre.

– Et toi, t'en as fait un, de procès ?

– Rollie me l'a déconseillé. Rollie Chabrier, des services du district attorney.

– Ouais, je le connais. Il t'a conseillé de laisser tomber ?

– Il m'a dit que je devrais être flatté.

– Ben, moi, je suis pas flatté, bordel ! Y a des limites, oui ou non ? En fait, j'ai l'intention d'en parler à Carella, parce que lui aussi il pourrait faire un procès.

– Qu'est-ce qui te fait dire ça ?

– Tu trouves pas que Furillo ça ressemble beaucoup à Carella ? Il porte un gilet, Carella ?

– Seulement quand il s'attend à une fusillade, répondit Meyer.

– Non, je veux dire un vrai gilet. Un gilet de costume. Parce que le type, Carillo, enfin, Furillo, il porte toujours un gilet. Je crois que Carella devrait y penser.

– A porter un gilet ?

– Non, à la ressemblance des noms. Tu crois que ces mecs n'ont jamais entendu parler de nous ?

– Quels mecs ?

– Les mecs de Californie qui fabriquent cette série et raflent tous les oscars. Tu crois qu'ils ont jamais entendu parler de Steve Carella et Ollie Weeks ?

– Probablement pas, répondit Meyer.

– On est pas exactement ce qu'on pourrait appeler célèbres, lui et moi, mais ça fait un moment qu'on roule notre bosse. Un sacré long moment. Pour moi, c'est pas une coïncidence.

– Alors, fais-leur un procès.

– Ça me coûterait sûrement une fortune, estima Ollie. De toute façon, Steve et moi, on sera encore là longtemps après que cette saloperie de série aura tourné en flocons d'avoine.

– En flocons d'avoine ?

– Ouais, dans sa boîte, la pellicule finit par devenir des flocons d'avoine.

– C'est pour cela que tu es venu ? Pour me demander...

– Non, ça me tracasse depuis un bout de temps, cette ressemblance. Même leur putain de ville imaginaire ressemble à la nôtre. Enfin, merde, on est des vrais flics, non ?

– J'oserais l'affirmer, dit Meyer.

– Alors, ces types sont des flics bidons, avec des noms qui sonnent vrai. C'est pas juste, Meyer.

– Et pourquoi ce serait juste ?

– Des fois, tu parles comme un foutu rabbin, tu sais ça ?

Meyer soupira avant de demander :

– Pourquoi es-tu venu ici ? Si tu n'as pas l'intention de faire un procès à...

– J'ai un macchabée pendu à un réverbère. On a trouvé ça sur place, déclara Ollie en jetant une cassette sur le bureau de Meyer.

De l'endroit où elle était assise, à son bureau, Annie Rawles découvrait presque toute la partie basse de l'île d'Isola. Le ciel était bleu, limpide, et donnait aux lignes des tours qui s'y élançaient un aspect tranchant. L'inspectrice se demandait si le beau temps allait encore durer. C'était déjà le 20, date à laquelle l'imminence de novembre se faisait généralement sentir.

Les bureaux de la Brigade des viols se trouvaient au sixième étage du nouveau Central, un bâtiment de verre et d'acier se dressant sur l'horizon et dominant les immeubles abritant les services municipaux, judiciaires et fiscaux de la ville. Avant la construction du nouveau Central – il y avait déjà pas mal d'années de cela, et Annie se demandait pourquoi tout le monde continuait à le qualifier de nouveau –, la Brigade des viols était installée dans un des plus vieux commissariats de la cité, un immeuble délabré proche de la rampe menant à River Highway. Les victimes d'un viol répugnaient de toute façon à prévenir la police, car elles craignaient – souvent à juste titre – que les policiers leur fassent passer un moment aussi pénible que leur violeur. De plus, la vue de la vieille bâtisse décrépite de Decatur Street avait dissuadé plus d'une femme violée de venir parler à nouveau de sa mésaventure avec des spécialistes. Le nouveau Central contribuait beaucoup à apaiser ces craintes. Son aspect propre et aseptisé d'hôpital donnait aux victimes l'impression qu'elles se confiaient à des médecins plutôt qu'à des flics. Annie Rawles était satisfaite des nouveaux bureaux installés dans le nouveau bâtiment ; ils facilitaient son travail.

C'était aussi vrai de l'ordinateur.

Elle avait dit à Eileen Burke qu'elle utilisait l'ordinateur pour tenter de découvrir si le même homme avait commis des viols répétés sur d'autres femmes que les trois victimes pour lesquelles il y avait déjà une certitude. Elle avait ajouté qu'elle se servait aussi de l'ordinateur pour voir si les victimes ne présentaient pas de traits communs ayant pu déterminer le violeur à s'en prendre à elles.

Pour la première opération, Annie avait demandé à l'informaticien – un homme répondant au nom invraisemblable de Binky Bowles (1) – de remonter au début de l'année, même si la première des trois victimes déjà sûres n'avait été violée que six mois plus tôt, en mars. Les dossiers de tous les viols signalés dans la ville se trouvaient déjà dans l'ordinateur. Il suffisait à Binky de taper sur les touches appropriées pour retrouver le nom de toute femme s'étant plainte d'avoir été violée plusieurs fois.

La première d'entre elles, une nommée Lois Carmody, avait subi son premier viol le 7 mars, à Majesta, dans le secteur du 112e commissariat. Son nom revenait trois autres fois, toujours à Majesta. Janet Reilly, la plus récente victime de viols répétés, avait été assaillie pour la deuxième fois la semaine précédente, quatre jours après que Mary Hollings eut signalé son viol au 87e com-

(1) Presque *Pinky Balls* : Couilles roses. *(N.d.T.)*

missariat. Pour Reilly, les deux viols avaient été commis à Riverhead.

Au total, il y avait treize victimes de viols répétés et le violeur – si c'était bien le même homme – n'avait pas chômé. Apparemment, il avait choisi ses victimes au hasard dans chacune des cinq parties de la ville et Annie Rawles excluait que le lieu des viols fût un dénominateur commun.

La tâche de Binky fut ensuite un peu plus difficile.

Reprenant les dossiers de chacune des treize femmes, il isola les signalements qu'elles avaient fournis de leur agresseur puis les décomposa en plusieurs éléments : race, âge, taille, poids, couleur des cheveux, des yeux, cicatrices ou tatouages visibles, arme utilisée (le cas échéant). Annie songea à lui demander d'inclure également les vêtements que portait le violeur mais décida finalement que ce serait sans intérêt. La tenue vestimentaire change avec les saisons et le premier des viols répétés remontait à mars. Binky demanda à l'ordinateur de classer les noms des victimes par ordre chronologique en prenant pour base la date de leur premier viol, ce qui donna sur l'imprimante par points la liste suivante :

VICTIME	SIGNALEMENT DE L'AGRESSEUR A CHAQUE VIOL
Lois Carmody	1) Blanc... 30 ans... 1,90 m... 90 kg... Brun... yeux bleus... pas de cicat. vis... Cran d'arrêt.
	2) Idem.
	3) Idem.
	4) Idem.
Mary Jane Moffit	1) Noir... 19 ans... 2 m... 100 kg... Brun... yeux marron... cicat. œil gauche... pas de tatou... pas d'arme.
	2) Blanc... 27-30 ans... 1,85 m... 85 kg... Blond... yeux marron... pas de cicat. vis... Pisto.
Blanca Diaz	1) Blanc... 25-30 ans... 2 m... 100 kg... Brun... yeux bleus... pas de cicat. vis... Cran d'arrêt.

	2) Idem. 3) Idem.
Patricia Ryan	1) Blanc... 30-35 ans... 1,90 m... 90 kg... Brun... yeux bleus... pas de cicat. vis... Cran d'arrêt. 2) Idem. 3) Idem.
Vanessa Hughes	1) Blanc... 21 ans... 2 m... 100 kg... Brun... yeux bleus... pas de cicat. vis... Tat. main gauche cœur et flèche... Pic à glace. 2) Noir... 25-30 ans... 2,10 m... 110 kg... Brun... yeux marron... pas de cicat. vis... Pistolet.
Vivienne Chabrun	1) Blanc... 30-35 ans... 2 m... 90 kg... Brun... yeux bleus... pas de cicat. vis... Cran d'arrêt. 2) Idem. 3) Idem.
Elaine Reynolds	1) Noir... 42 ans... 1,80 m... 75 kg... Brun... yeux noisette... pas de cicat. vis... Cout. de cuis. 2) Latin... 17 ans... 2 m... 85 kg... Brun... yeux marron... pas de cicat. vis... Tat. pénis motif floral. Pisto.
Angela Ferrari	1) Blanc... 32 ans... 2 m... 95 kg... Brun... yeux bleus... pas de cicat. vis... Cran d'arrêt. 2) Idem. 3) Idem. 4) Blanc... 21 ans... 1,75 m... 80 kg... Blond... yeux gris... pas de cicat. vis... Pas d'arme.
Terry Cooper	1) Blanc... 32 ans... 2,05 m... 95 kg... Brun... yeux bleus... pas de cicat. vis... Cran d'arrêt. 2) Idem.
Cecily Bainbridge	1) Blanc... 30 ans... 2 m... 90 kg... Brun... yeux bleus... pas de cicat. vis... Cran d'arrêt. 2) Idem.
Clara Preston	1) Blanc... 50-55 ans... 1,70 m... 70 kg... Brun... yeux marron... cicat. pouce droit... Petit doigt manquant main gauche... pas de tat. Pisto.

	2) Blanc... 16 ans... 1,70 m... 120 kg... Brun... yeux marron... pas de cicat. vis... Pas d'arme.
Mary Hollings	1) Blanc... 30 ans... 1,90 m... 90 kg... Brun... yeux bleus... pas de cicat. vis... Cran d'arrêt. 2) Idem. 3) Idem.
Janet Reilly	1) Blanc... 28 ans... 2,05 m... 100 kg... Brun... yeux bleus... pas de cicat. vis... Cran d'arrêt. 2) Idem.

Annie élimina automatiquement toute victime ayant manifestement été violée par des hommes différents – un Blanc et un Noir, par exemple – et mit ces cas sur le compte de coïncidences compréhensibles dans une ville grouillant de chiens enragés. Elle écarta ainsi quatre femmes sur treize et plaça en réserve Angela Ferrari, dont le *dernier* assaillant était différent des trois précédents, tous décrits de façon identique. Restait donc huit candidates sérieuses et une neuvième plausible.

Chacune des neuf femmes décrivait son violeur à répétition de la façon suivante : il était blanc, brun, les yeux bleus, sans cicatrice ou tatouage visibles, et s'était servi d'un couteau à cran d'arrêt.

Selon trois des victimes, le violeur mesurait un mètre quatre-vingt-dix. Pour quatre autres, il mesurait deux mètres, et pour les deux dernières, deux mètres cinq.

D'après les signalements donnés, le violeur pesait entre quatre-vingt-dix et cent kilos, une majorité – cinq femmes – lui accordant quatre-vingt-dix kilos.

Quant à son âge, il oscillait entre vingt-huit et trente-cinq ans.

Annie Rawles estima qu'on pouvait raisonnablement supposer que l'homme était de race blanche, avait trente ans, mesurait deux mètres et pesait quatre-vingt-dix kilos. Il avait sans aucun doute des cheveux bruns, des yeux bleus, pas de cicatrice ni de tatouage visibles. Il ne faisait également aucun doute qu'il portait un couteau à cran d'arrêt – et qu'il s'en était servi au moins une fois, lors du troisième viol de Blanca Diaz. L'inspectrice laissa à Binky le soin de consulter les fiches de violeurs connus mises sur ordinateur, dans l'espoir d'y trouver un ou plusieurs individus répondant au signalement et menaçant généralement leurs victimes avec un cran d'arrêt.

Annie entreprit ensuite de chercher entre les victimes d'éventuelles ressemblances ayant pu inciter le violeur à porter son choix sur elles. Elle prit des notes en relisant leurs dossiers puis les ordonna sous forme de tableau avec des colonnes pour l'âge, la race, l'origine ethnique, la religion, le statut social, le nombre d'enfants, les violences subies, et considéra le résultat.

La plupart des victimes étaient blanches : six, contre deux Noires et deux Latines. Toutes étaient catholiques. Trois étaient mariées, quatre célibataires, deux divorcées. Cinq d'entre elles n'avaient pas d'enfants, une en avait quatre, une autre trois, les deux dernières deux chacune. Elles étaient d'origine ethnique variée, avec une forte proportion – trois – d'Irlandaises. Leur âge allait de dix-neuf (Janet Reilly) à quarante-six ans (Blanca Diaz). Eliminant ces deux extrêmes, Annie obtint une moyenne d'une trentaine d'années – le même âge que le violeur.

Elle étudia à nouveau son tableau et trouva curieux que toutes les victimes soient catholiques. Autre fait curieux, aucune d'entre elles n'avait été sodomisée, ce qui ne cadrait pas avec le *modus operandi* de la plupart des violeurs. Binky Bowles (Annie souriait chaque fois qu'elle pensait à ce nom) dénicherait-il un joueur de couteau répondant au signalement donné par les victimes se contentant de la position du missionnaire ? Avait-il peur de se la faire arracher d'un coup de dent ? Cela le mettrait hors circuit à tout jamais, ce saligaud.

Annie manquait de données.

Elle reprit les dossiers des victimes et établit un nouveau tableau dont les colonnes étaient cette fois les suivantes : ville natale, profession, niveau d'études, clubs et organisations, sports et passe-temps.

Elle obtint un résultat disparate s'il en fut : des ménagères, des étudiantes, une postière, une domestique, une traductrice et une ancienne employée d'agence de voyages vivant maintenant d'une pension alimentaire. Trois étaient originaires de la ville même, les autres d'un peu partout. Leur niveau d'études allait de l'école primaire à l'université. Les clubs et organisations... « Cette Angela Ferrari déborde d'activités ! pensa Annie. Trente-quatre ans seulement, mariée, deux enfants, une licence, et elle a quand même le temps de fréquenter une demi-douzaine de clubs ! »

Angela était celle qui avait donné un signalement différent pour un de ses viols. Hystérie ? Ou un *autre* salaud avait-il jeté son dévolu sur une femme dont il savait qu'elle avait déjà été violée ?

Annie Rawles regarda à nouveau la liste de l'ordinateur.

Lois Carmody : violée quatre fois par le même homme.

Blanca Diaz, une ménagère de quarante-six ans avec quatre gosses : trois fois. Patricia Ryan : trois fois. Vivienne Chabrun : trois fois. Angela Ferrari : trois fois sûres par le même homme, une quatrième fois par quelqu'un d'autre. Cecily Bainbridge : deux fois. Mary Hollings : trois fois. Janet Reilly : deux fois.

Pourquoi les mêmes femmes plusieurs fois ?

Pourquoi ?

L'inspectrice revint aux dossiers, y chercha un fil conducteur, un lien entre les viols. Toutes les victimes avaient été violées la nuit. Dans le cas de Mary Hollings, le troisième viol – commis dans son appartement – avait eu lieu avant le lever du jour, même si c'était déjà le vendredi *matin* 7 octobre. Annie consulta le dossier Hollings : le premier viol avait été commis le 10 juin, un vendredi ; le second, le 16 septembre, encore un vendredi.

Coïncidence, peut-être.

Elle prit le dossier de Janet Reilly.

Reilly avait été violée une première fois le 13 septembre, un mardi ; puis à nouveau le 11 octobre, un mardi également.

« Bon, ne t'emballe pas, se raisonna l'inspectrice. Prends-les dans l'ordre, vérifie les dates pour chacune. Il faudrait un calendrier... »

Elle fouilla dans le premier tiroir de son bureau, en sortit un calendrier qu'elle posa devant elle, prit une feuille de papier, inscrivit à nouveau les noms des neuf victimes, les dates des viols, puis consulta le calendrier.

Lois Carmody : 7 mars, 4 avril, 25 avril, 9 mai. Rien que des lundis.

Blanca Diaz : 15 mars, 12 avril, 3 mai. Des mardis.

Patricia Ryan : 23 mars, 20 avril, 25 mai. Des mercredis.

Vivienne Chabrun : 31 mars, 19 mai, 2 juin. Des jeudis.

Angela Ferrari : 11 avril, 30 mai et 13 juin pour les viols avec même signalement. Tous des lundis. Le 28 juin, un mardi, pour le viol avec signalement différent.

Terry Cooper : 1er mai, 19 juin. Deux dimanches.

Cecily Bainbridge : 7 mai, 4 juin. Des samedis.

Mary Hollings : 10 juin, 16 septembre, 7 octobre. Des vendredis.

Janet Reilly : 13 septembre, 11 octobre. Deux mardis.

Annie Rawles réfléchit.

Bon. La même femme le même jour de la semaine. Mais qu'est-ce que cela *signifiait* ? Ce choix se fondait peut-être sur les habitudes des victimes : Lois Carmody jouait peut-être au tennis le lundi soir, Janet Reilly chantait peut-être avec sa chorale le mardi. Comment savoir ?

Elle considéra à nouveau sa liste.

Vivienne Chabrun avait été violée pour la première fois le 31 mars, puis sept semaines plus tard, le 19 mai, et deux semaines après, le 2 juin. Des jeudis. Terry Cooper avait été agressée le 1er mai, puis sept semaines plus tard, le 19 juin. Des dimanches. Pour Patricia Ryan, le 23 mars, puis le 20 avril, quatre semaines plus tard, et le 25 mai, cinq semaines plus tard. Des mercredis. Annie ne parvint pas à établir de rapport entre les dates avant de revenir à Lois Carmody, la première des victimes.

Premier viol : lundi 7 mars.

Deuxième viol : quatre semaines plus tard, lundi 4 avril.

Troisième viol : trois semaines plus tard, lundi 25 avril.

Quatrième viol : deux semaines plus tard, lundi 9 mai.

Quatre semaines, trois semaines, deux semaines. Si elle avait été violée une cinquième fois, l'intervalle aurait-il été d'*une* semaine ?

L'inspectrice passa à Angela Ferrari.

Agressée pour la première fois le 11 avril. Quatre semaines plus tard, cela donnait le 9 mai. Rien à cette date. Trois semaines après le 9 mai, c'était le 30. Oui, elle avait été violée le 30. Et deux semaines plus tard... En plein dedans ! Il l'avait effectivement violée le 13 juin.

« Doucement, du calme », se dit Annie.

Cecily Bainbridge : premier viol le samedi 7 mai, second quatre semaines plus tard, le samedi 4 juin. Blanca Diaz, les dates coïncidaient : une première fois le 15 mars, une seconde quatre semaines plus tard, le 12 avril, une troisième trois semaines plus tard, le 3 mai. Mary Hollings... Ah ! là, c'était plus difficile.

Violée pour la première fois le vendredi 10 juin, ensuite plus rien avant le vendredi 16 septembre. Annie compta les semaines sur son calendrier : quatre semaines après le 10 juin, c'était le 8 juillet ; trois semaines après, le 29 ; deux semaines après, le 12 août ; une semaine après, le 19. Et si l'on recommençait le cycle, quatre semaines après le 19 août, c'était le 16 septembre : la date à laquelle Mary Hollings avait été violée pour la deuxième fois. Trois semaines après, c'était le 7 octobre, date de la dernière agression.

Janet Reilly : violée le 13 septembre puis le 11 octobre, quatre semaines plus tard exactement.

Mais le cycle quatre semaines-trois semaines-deux semaines semblait ne pas s'appliquer à Vivienne Chabrun, Terry Cooper et Patricia Ryan.

Vivienne Chabrun : premier viol le 31 mars ; quatre semaines plus tard, le 28 avril, rien. Mais en ajoutant trois autres semaines, on tombait sur le 19 mai, et le violeur l'avait attaquée ce jour-là, et une nouvelle fois deux semaines après, le 2 juin !

Terry Cooper : violée une première fois le 1er mai ; rien quatre semaines plus tard, le 29 mai, mais second viol trois semaines plus tard, le 19 juin !

« A toi, Patricia, pensa Annie Rawles. Allez... »

Patricia Ryan : violée le 23 mars et quatre semaines plus tard, le 20 avril. Trois semaines après, le 11 mai... rien. Mais attention, nouvelle agression le 25 mai, *deux* semaines seulement après le 11 mai.

Peut-être que l'intervalle entre deux viols n'avait pas d'importance pourvu que...

Etait-ce possible ?

Essayait-il de les violer les unes après les autres à une semaine d'intervalle ? Sinon pourquoi choisir pour chacune d'elles un jour de la semaine, toujours le même ? Ce salaud avait-il établi un calendrier pour chaque victime ? Il pouvait laisser passer une, deux, six semaines, cela n'avait pas d'importance. Il lui suffisait de compter pour être sûr de retomber sur le cycle.

Mais pourquoi ?

A quelle espèce de malade avait-elle affaire ?

Annie fit la liste, dans l'ordre chronologique, de *tous* les viols de *toutes* les victimes et regarda ce qu'elle obtenait.

Les agressions avaient commencé en mars. Il y en avait eu quatre ce mois-là, à huit jours d'intervalle – et donc en avançant à chaque fois d'un jour de la semaine : Lois Carmody le 7 mars, Blanca Diaz le 15, Patricia Ryan le 23, Vivienne Chabrun le 31.

En avril, le violeur s'en était pris une nouvelle fois à Lois Carmody le 4, avait ajouté une autre victime à son tableau de chasse le 11 avec Angela Ferrari, puis avait violé à nouveau Blanca Diaz le 12, Patricia Ryan le 20, et une troisième fois Lois Carmody le 25.

Deux nouvelles victimes en mai, Terry Cooper et Cecily Bainbridge, pour un total de sept viols dans le mois.

Débordement d'activité à nouveau en juin : cinq viols, avec Mary Hollings pour la première fois, et sans Lois Carmody, qui disparaissait du calendrier après quatre viols espacés de quatre, trois et deux semaines.

Rien en juillet et août.

Du moins, rien de signalé.

En septembre, il avait encore agressé Mary Hollings et ajouté Janet Reilly à sa liste.

En octobre – jusqu'à ce jour – seulement Mary et Janet.

Pourquoi rien en juillet-août ?

S'attaquerait-il bientôt aux femmes qu'il n'avait violées que deux ou trois fois ? Avait-il quatre fois pour objectif ? Pourquoi quatre ? Ou allait-on à nouveau entendre parler de Lois Carmody ?

« Trop de questions », se dit Annie Rawles.

Plus la grande question sans réponse.

Pourquoi *ces femmes-là* ?

Pourquoi ?

Dans la salle de permanence, aux fenêtres ouvertes sur une lumière dorée de fin de matinée digne d'un mois d'août, les quatre inspecteurs, debout autour du bureau de Meyer, écoutaient la cassette. Ollie Weeks l'avait déjà entendue, mais il n'en tendait pas moins l'oreille, comme s'il essayait d'en graver les mots dans sa mémoire. Meyer, Carella et Hawes, qui l'écoutaient pour la première fois, tentaient chacun de leur côté de se rappeler à quoi ressemblait la voix du Sourd.

Il y avait deux voix sur la bande.

Celle de Darcy Welles et celle de l'homme qu'ils ne connaissaient que sous le nom de Corey McIntyre.

McINTYRE : *Le voyant rouge signifie qu'il est en marche, le vert qu'il enregistre. Bon, vous disiez ?*

DARCY : *Juste que c'est drôle la façon dont vos questions de cet après-midi m'ont fait réfléchir. Vous savez ce que ma mère a dit, sur ma vocation de coureuse ?*

McINTYRE : *Votre mère ?*

DARCY : *Oui, je lui ai téléphoné.*

McINTYRE : *Dans l'Ohio ?*

– Il a l'air un peu nerveux, là, non ? commenta Ollie.

– Chchchut, fit Carella.

DARCY : *... se fait interviewer par* Sports U.S.A.

McINTYRE : *Elle était contente ?*

– Drôlement nerveux, même, si vous voulez mon avis, reprit Weeks. La petite bigophone à sa mère pour lui dire qu'elle dîne avec...

– C'est toi ou la bande que tu veux nous faire écouter ? intervint Hawes.

– C'est que des conneries, au début, de toute façon. Elle parle de son frère, de l'effet que ça lui fait de courir... Tiens, là, justement.

DARCY : *... sentiment de bien-être qu'on éprouve. Vous voyez ce que je veux dire ?*

McINTYRE : *Parfaitement.*

– Ouais, il connaît ça, reprit Weeks. Il connaît tout sur la course.

– Tu vas la fermer ? lui intima Meyer.

– C'est là que le serveur se pointe avec les apéros et demande s'il doit apporter les menus... Ecoutez, les gars, il arrête pas de dire : « Oui, parfaitement, je comprends. »

DARCY : *... neige recouvre les saletés, les tracas, tout devient d'un blanc immaculé. Voilà comment je me sens* *quand je cours – comme si c'était Noël toute l'année. Tout est blanc, beau et doux.*

McINTYRE : *Oui, je sais.*

– Là, il arrête le truc, il le remettra seulement plus tard, expliqua Ollie. Le reste, c'est surtout des questions et des réponses sur la course à pied. Une fois, elle l'appelle Mr McIntyre qui, d'après vous, était à Los Angeles à ce moment-là, hein, Steve ?

– Oui, dit Carella.

– J'ai noté un endroit que vous devriez écouter, à moins que vous vouliez tout savoir sur l'entraînement d'un coureur. Pour moi, c'est des conneries. Je saute ? suggéra Ollie.

Sans attendre la réponse, il fit avancer la bande rapidement, l'arrêta et joua avec les boutons jusqu'à ce qu'il eût trouvé le passage qu'il cherchait.

– Ah ! voilà. Ecoutez.

McINTYRE : *Merci infiniment, Darcy. C'est exactement ce que je voulais.*

DARCY : *Je l'espère, en tout cas.*

McINTYRE : *Je vous l'assure. Encore un peu de café ?*

DARCY : *Non, il faut que je rentre. Quelle heure est-il ?*

McINTYRE : *Dix heures moins le quart.*

– Il nous donne l'heure, dit Weeks. Très gentil de sa part.

DARCY : *... rendu compte qu'il était si tard. Je dois encore revoir ma psycho.*

McINTYRE : *Je peux vous raccompagner, si vous voulez.*

– Attention, ça vient, prévint Ollie.

DARCY : *Non, ça ira...*

McINTYRE : *Ma voiture est juste au coin, dans un garage proche de Jefferson. Nous pouvons y aller à pied, si vous voulez...*

DARCY : *C'est très aimable à vous.*

McINTYRE : *Je demande l'addition.*

– Là, il arrête à nouveau son machin, dit Weeks.

– C'est tout ?

– Non, ça continue. Mais le mec vient de nous indiquer où est le garage, alors on devrait facilement le trouver, vous croyez pas ? Près du restaurant et de Jefferson. Combien y a de garages...

– Nous en avons déjà vu une dizaine, dit Hawes.

– Alors, ce sera encore plus facile. Vous avez cherché dans l'annuaire à Corey McIntyre ?

– Il n'y a personne de ce nom dans la ville.

– Donc, c'est juste quelqu'un qui se sert du nom de ce type de Los Angeles, hein ?

– On dirait.

– Il s'en servira plus, affirma Weeks.

– Qu'est-ce que tu veux dire ?

– Ecoutez, fit Ollie en désignant le magnétophone. Il a recommencé à enregistrer juste avant de la tuer. Pour laisser une trace, hein ? Il doit être givré.

Les inspecteurs écoutèrent.

– Voilà le clic. Ça vient, annonça Weeks.

DARCY : *On pourra la voir, cette statue ? Il fait noir, par ici.*

McINTYRE : *Oh ! il y a de la lumière.*

DARCY : *Il faudrait une lampe électrique.*

McINTYRE : *Les vandales ! Mais il y a un réverbère un peu plus loin.*

– Ils sont où, à votre avis ? demanda Ollie.

– Chut, fit Meyer.

DARCY : *Elle représente qui, cette statue, au fait ?*

McINTYRE : *Jesse Owens.*

DARCY : *Vraiment ? Ici ? Je le croyais de Cleveland.*

McINTYRE : *Vous le connaissez ?*

DARCY : *Bien sûr. Il a battu tout le monde à plates coutures... quand exactement ?*

McINTYRE : *En 1936. Aux jeux Olympiques de Berlin.*

DARCY : *C'est ça. Il a ridiculisé Hitler et ses théories aryennes.*

McINTYRE : *Dix secondes six au cent mètres. Il a battu le record du monde du deux cents en vingt secondes sept et il a aussi gagné le relais quatre fois cent mètres.*

DARCY : *Sans parler du saut en longueur.*

McINTYRE : *Vous le connaissez réellement, on dirait.*
DARCY : *Naturellement, je fais de la course.*

– Ecoutez, prévint Ollie. C'est là.

Les inspecteurs entendirent des raclements de pied, des coups sourds, une respiration haletante.

– Il la dérouille, expliqua Weeks. Vous auriez dû voir dans quel état elle était quand on l'a trouvée...

Soudain, un craquement sec.

– Qu'est-ce que c'est ? demanda Meyer. Il a arrêté le magnétophone ?

– Non, mon vieux. C'est le cou de la fille, répondit Weeks.

Après vingt secondes de silence, ils entendirent sur la bande des bruits de pas rapides, d'autres bruits de pas, plus lointains. Une portière de voiture claqua, un moteur démarra ; puis, par-dessus le ronronnement du véhicule, la voix de McIntyre s'éleva.

McINTYRE : *Salut, les gars, c'est moi encore une fois, et ce ne sera pas la dernière. Mais c'est la dernière fois que vous entendez parler de Corey McIntyre. Au revoir.*

Silence.

– C'est fini ? demanda Hawes.

– N-I-ni, dit Ollie.

– Il cherche à se faire prendre, non ? suggéra Meyer.

– C'est aussi mon impression, approuva Weeks. Sinon, pourquoi laisser une cassette nous orientant vers le garage et nous donnant une voix qui servira plus tard de point de comparaison si on chope un bon suspect ? La première chose que nous allons faire...

– Nous ? coupa Carella.

– Bien sûr, répondit Weeks. J'aime les tarés qui brisent la nuque des minettes. Je vais bosser avec vous sur cette affaire.

Les autres inspecteurs regardèrent Weeks, qui déclara :

– On ne va pas s'ennuyer.

Ce qu'ils trouvèrent rien moins que rassurant.

9

La première édition du journal de l'après-midi fut dans les kiosques à onze heures trente ce matin-là.

TROISIÈME ÉTUDIANTE ASSASSINÉE

claironnait le titre surmontant une photo de Darcy Welles pendue à un réverbère dans le secteur du 83e commissariat. Sous la photo, un court texte :

Darcy Welles, étudiante de dix-neuf ans de Converse University, est devenue ce matin la troisième victime du Tueur des pistes. Voir article page quatre.

Il n'était pas inhabituel pour ce quotidien d'attribuer aux assassins des surnoms frappant l'imagination populaire. La police s'en serait bien passé, car cela n'aidait jamais à arrêter les coupables. Si tant est qu'ils eussent un effet, ces surnoms compliquaient les choses dans la mesure où ils incitaient toutes sortes de dingues à se faire passer pour « le Tueur de nurses », « l'Egorgeur fou », ou quelque autre personnage monté en épingle par les journaux. L'article en page quatre sur « le Tueur des pistes » sentait le feuilleton à trois sous :

Dans la froide lumière de l'aube, les inspecteurs du 83e commissariat, dans le quartier de Diamondback, ont découvert la troisième victime d'une série de meurtres dont les liens sont à présent indéniables. Chaque fois, une jeune fille ; chaque fois, une vedette de la course à pied universitaire. Dans les trois cas, les victimes ont eu la nuque brisée et ont été pendues à un réverbère dans une rue déserte. Le Tueur des pistes hante la ville et même la police ne peut savoir où et quand il frappera la prochaine fois.

Le journaliste exposait ensuite en détail les circonstances des deux meurtres précédents puis revenait longuement à Darcy Welles, dont il avait interviewé les parents. Ceux-ci lui ayant parlé du coup de téléphone de leur fille, il concluait : *Il est donc possible que le Tueur des pistes se présente comme quelqu'un travaillant à* Sports U.S.A. *pour gagner la confiance de ses jeunes proies avant de les supprimer.*

« Ça, y a des chances ! » pensa Ollie en lisant la phrase.

Il était assis à côté de Carella dans une voiture qui se dirigeait vers le centre. Hawes, installé à l'arrière, s'était fait voler sa place habituelle par le gros inspecteur mais plaignait surtout son ami Steve d'avoir à supporter un tel voisinage. Carella avait ouvert la vitre de son côté. Jusqu'en bas.

– Ecoutez-moi ça, dit Weeks. « Si c'est bien le cas... »

– Si *quoi* est bien le cas ? demanda Hawes.

– Si quelqu'un se fait passer pour un journaliste de *Sports U.S.A.*, répondit Ollie avant de reprendre sa lecture à haute voix. « Si c'est bien le cas, les policiers de cette ville, qui sont complètement déroutés, feraient bien d'en prendre note. Ils feraient bien aussi de mettre en garde les jeunes sportives universitaires contre toute personne se prétendant reporter ou journaliste. »

Alf Miscolo, du secrétariat du 87ᵉ commissariat, avait déjà tapé et photocopié une lettre dictée par le lieutenant Byrnes et devant être envoyée par porteur à tous les établissements universitaires de la ville.

– C'est pas tout, poursuivit Ollie. Le besogneux, là, il se souvient tout d'un coup qu'il n'est pas censé donner des conseils à la police mais raconter la réaction des parents. Vous êtes prêts ? « Mr et Mrs Welles sanglotaient à la fin de notre conversation téléphonique. Les fils qui nous relient à Columbus, où ils habitent, gémissaient sous le poids de leur chagrin, un chagrin que partagent tous les parents de cette ville et qui leur fait crier tous ensemble : "Il faut trouver le Tueur des pistes." »

– Magnifique, apprécia Hawes.

– Sur la page précédente, y a la photo des deux autres filles, pendues à leur réverbère comme des décorations de Noël. Ce putain de journal ne parle que des meurtres. Y a même les commentaires des flics de New York qui se sont occupés du « Fils de Sam » et un article du journaliste qui suivait l'affaire là-bas. Il fait des comparaisons entre les façons d'opérer des deux tueurs et intitule ça « Similarités psychologiques ». Ça m'étonne qu'ils aient pas déterré Jack l'Eventreur. Si avec tout ça notre bonhomme se planque pas... Je suis content que les parents se soient pas rappelé le nom que leur fille leur avait donné. Sinon, le vrai Corey McIntyre, de Los Angeles, aurait eu droit lui aussi aux bavasseries de ce minable.

Ollie replia le journal, le lança sur la banquette arrière.

– Laisse-lui le temps, dit Hawes. Ça viendra.

– S'ils veulent être flics, ils ont qu'à entrer dans la police, protesta Weeks. S'ils veulent être journalistes, qu'ils fourrent pas leur nez dans les affaires de la police... On arrive à Haley, tu le sais ? dit-il à Carella.

– Je le sais.

– Quels garages vous avez déjà vus ?

– J'ai la liste, répondit Hawes.

– Parce que celui qu'on cherche, il est censé être tout près du restaurant et de Jefferson. Juste au coin.

– Nous les avons tous vus dans un rayon de cinq cents mètres, assura Hawes.

– Ouais, mais vous en avez peut-être raté un, hein, Red (1) ?

Hawes n'aimait pas qu'on l'appelle Red. Il préférait Lefty – ou même Grand Taureau Pétant.

– Mon nom est Cotton, fit-il d'une voix douce.

– C'est un nom idiot, déclara Ollie. Je crois que je vais t'appeler Red.

– D'accord, convint Hawes. Et moi je t'appellerai Phyllis.

– Phyllis ? Où t'as pris ça ? *Phyllis ?* Tiens, Steve, y a une place, là.

(1) Roux, rouquin. *(N.d.T.)*

– Je l'ai vue, dit Carella.

– C'était des fois que tu l'aurais pas vue. Des gars qui trouvent pas un garage tout près d'un restaurant, on peut pas savoir s'ils voient ou non les places pour se garer.

Carella se rangea le long du trottoir, abaissa le pare-soleil sur lequel une note indiquait que le véhicule était conduit par un officier de police en service – au cas où quelque agent trop zélé n'aurait pas encore atteint son quota journalier de contraventions. Les trois inspecteurs descendirent de la voiture, dont Carella ferma les portières à clé. Ils connaissaient des collègues du 61 qui s'étaient fait voler leur auto pendant qu'ils enquêtaient sur un vol commis dans un magasin de vins et spiritueux.

– On est où, ici ? dit Ollie. Le restau est au coin d'Ulster et de South Haley, c'est ça ?

– Ici, c'est le croisement Ulster et Bowes.

– Alors il faut retourner au restaurant, qu'on prendra comme point de départ. Ensuite on remonte jusqu'au coin de rue le plus proche de Jefferson et de là, on part en éventail à droite et à gauche. Il a dit « juste au coin », non ? Près de Jefferson ?

– C'est ce qu'il a dit, confirma Carella. Mais « juste au coin », cela peut signifier n'importe quoi.

– « Juste au coin », ça veut dire « juste au coin », rétorqua Ollie. J'ai pas raison, Red ?

Hawes eut une grimace :

– Ollie, je n'aime vraiment pas qu'on m'appelle Red.

– Alors je t'appellerai Cotton. Tu préfères ça ?

– Certainement.

– Bon, bon. Mais moi, si j'avais un nom idiot comme Cotton, je préférerais qu'on m'appelle autrement, je te le dis. J'ai pas raison, Steve-a-rino ?

Carella ne répondit pas et les trois policiers marchèrent jusqu'au restaurant.

– Restau chic, commenta Ollie. Le mec doit avoir du blé pour inviter ses victimes ici avant de les zigouiller.

Bon, maintenant, en route pour le coin. Vous me suivez, les gars ? Je vais vous montrer comment on trouve un garage.

Le garage n'était pas au coin de la rue mais cent cinquante mètres plus loin en direction de Jefferson Avenue. C'était un de ceux auxquels Carella et Hawes s'étaient rendus le soir du meurtre de Darcy Welles. Ils avaient parlé à un petit employé portoricain nommé Ricardo Albareda qui ne se rappelait pas avoir vu une jeune fille en robe rouge avec un homme portant un costume marron clair, une cravate jaune et des chaussures marron. Ils lui avaient donné le signalement que le serveur de *Chez Marino* avait fourni à Hawes : un mètre quatre-vingt-dix, cheveux châtains, yeux marron, moustachu. En vain : Albareda ne se souvenait toujours pas du couple.

C'était encore lui qui était de service. Il expliqua qu'il travaillait normalement dans l'équipe de jour mais que, la veille, il avait remplacé un copain malade. Il dit aux inspecteurs qu'il était très fatigué ; rentré à deux heures du matin, il avait repris le boulot à huit heures.

– Ecoute, merdaillon, attaqua Ollie d'un ton patient. C'est le garage qu'on cherche, tu comprends l'anglais ? C'est ici qu'ils sont venus et si tu t'en souviens pas tout de suite, je vais te faire faire le tour du pâté de maisons à coups de pied dans le derche, t'as compris, métèque ?

– Si yé peux pas me souvenir, yé peux pas, plaida Albareda en haussant les épaules.

– Nous l'avons longuement interrogé hier soir, dit Carella. S'il ne se souvient pas, il ne...

– C'était hier soir. Maintenant, c'est aujourd'hui. Et je suis l'inspecteur Ollie Weeks, à qui on raconte pas des salades, à moins qu'on veuille se retrouver au trou pour avoir craché par terre.

– Yé pas cracé par terre.

– Quand je t'en aurai cloqué une dans la tronche, merdeux, tu cracheras tes dents sur le trottoir, et ça c'est un délit.

– Ecoute, Ollie... intervint Hawes.

– Te mêle pas de ça, Red, dit Weeks, avant de revenir à Albareda. Hier soir, vers dix heures moins le quart, une fille en robe rouge. Elle a sa photo dans tous les canards aujourd'hui parce qu'elle s'est fait *tuer* hier, tu comprends, merdaillon ? Avec un mec deux fois plus vieux qu'elle, une moustache comme la tienne. Rappelle-toi, Pancho.

– Yé me rappelle personne avec oune moustasse comme moi.

– Et une minette en robe rouge ?

– Non plous.

– Il est venu combien de minettes en robe rouge à dix heures moins le quart, nom de Dieu ? Qu'est-ce que tu foutais, Albareda ? tu te tapais un rassis dans les chiottes en lisant *Playboy* ?

– Il est vénou plein de filles en robe rouge, se défendit le Portoricain.

– Hier soir à dix heures moins le quart ? Plein de filles en robe rouge ?

– Pas hier soir. Yé voulais dire en yénéral.

– Qui d'autre bossait avec toi, hier soir ? T'étais tout seul, crétin de métèque ?

– On était deux solement. Normalement, c'est trois, mais...

– Ouais, ton amigo était au pieu à se sucer le paf.

– C'est pas pour ça qu'on était deux seulement.

– Alors pourquoi ?

– Y avait oun' autre type malade.

– Une vraie épidémie, hein ? Qui c'était, l'autre qui bossait avec toi ?

– Anibal.

– Annabelle ?

– Anibal. Anibal Perez. Il fait toujours la nuit.

– La nuit, hein, Pancho ? T'as son numéro ?

– *Si.*

– Appelle-le. Dis-lui de se pointer ici dans dix minutes, sinon je vais le chercher et je le pends à un réverbère.

– Il habite à l'autre bout de Mayesta.

– Dis-lui de prendre un taxi. A moins qu'il préfère qu'une voiture de police s'arrête devant chez lui.

– Y'appelle.

Perez arriva quarante minutes plus tard, l'air abasourdi. Il jeta un coup d'œil interrogateur à Albareda puis regarda celui des flics qui paraissait le plus sympathique – un gros, comme lui.

– Qu'est-ce qui se passe ? demanda-t-il.

– Tu étais ici hier soir à dix heures moins le quart ? dit Ollie.

– *Si.*

– Parle anglais, on est en Amérique. T'as vu mes deux copains, là, hier soir ?

– Non.

– Il était en haut quand ils sont vénous, expliqua Albareda.

– Et vous avez pas cherché à savoir s'il y avait un autre gars dans le garage ? lança Weeks à Carella. C'est pas du boulot. Bon, Pancho, dit le gros inspecteur à Perez. Maintenant, t'es en bas, et on voudrait savoir si t'as vu hier soir vers dix heures moins le quart une jeune nana en robe rouge avec un mec d'une quarantaine d'années, châtain, yeux marron, une moustache comme ton amigo.

– *Si,* répondit Perez.

– J't'ai dit de parler anglais. Alors tu les as vus ?

– Oui.

– La fille, dans les dix-neuf ans ?

– Oui.

– Le mec en costume marron ?

– Oui.

– Eh ben, on avance. Quel genre de bagnole il conduisait ?

– Je me souviens pas, répondit Perez.

– C'est toi qui leur as amené la voiture ?

– Oui, c'est moi.
– Alors c'était quoi, comme voiture ?
– Je me souviens pas. Des voitures, j'en monte et j'en descends toute la nuit. Comment voulez-vous que je me rappelle ?
– Me parle pas sur ce ton, compris, Pancho ?
– Oui, monsieur.
– C'est mieux. Tu te souviens pas, alors ?
– Non.
– C'était une grosse ou une petite bagnole ?
– Je me souviens pas.
– Vous faites vraiment la paire ! Les tickets, vous les gardez où ?
– Quoi ?
– Les tickets ! faut te parler en espagnol ? C'est les Etats-Unis, ici.
– Porto Rico, c'est aussi les Etats-Unis, répliqua Perez avec dignité.
– C'est ce que tu crois, dit Ollie. Quand un mec vient garer sa bagnole ici, on lui file un ticket, s'pas ? Tu marques le numéro du véhicule sur les deux moitiés du ticket et tu lui en donnes une, d'accord ? C'est ça qu'il présente pour récupérer sa tire. Tu me suis, jusque-là ? L'autre partie du ticket, tu la mets où ?
– Ah ! les tickets, marmonna Perez.
– Tu comprends vite, soupira Weeks. Où on les met ?
– Dans le bureau de la caissière. Les tickets d'hier soir, vous voulez dire ?
– Oui, les tickets d'hier soir. Tu leur colles un tampon, non ? Avec l'heure d'arrivée et l'heure de départ. Bon, je veux voir tous les tickets des voitures arrivées vers huit heures et reparties vers dix heures moins le quart. C'est facile, hein ? Mes copains auraient dû te demander ça hier mais mieux vaut tard que jamais. Allez, va chercher les tickets.
– C'est la caissière qui les a. Dans le bureau.
La caissière, une jeune Noire d'une vingtaine d'an-

nées, leva les yeux quand les policiers pénétrèrent dans son petit bureau.

– Salut, chérie, dit Weeks.

– Je suis pas votre chérie ni celle de personne, répliqua la fille.

– T'es pas ma p'tite cocotte en chocolat ? fit Ollie en adressant un clin d'œil à Carella.

– Qu'est-ce que vous voulez ?

– Police, mademoiselle, intervint Hawes en montrant son insigne. Nous avons des raisons de penser que...

– On voudrait voir vos souches de tickets pour hier soir, coupa Ollie. De huit heures à dix heures environ.

– Nous ne les classons pas selon l'heure, répondit la caissière.

– Comment alors ?

– Par leur numéro.

– Bon, sortez-les tous, on regardera nous-mêmes.

– Ici ? s'insurgea la fille. J'ai du travail.

– Nous aussi.

Il fallut près de deux heures aux trois inspecteurs pour retrouver les tickets des véhicules entrés vers huit heures et ressortis entre dix heures et dix heures moins le quart. Il y en avait trois, avec les indications suivantes : Chev-38L4721, Benz-604J29, CadSev-WU3200.

– Le reste, ce sera du gâteau, prédit Ollie Weeks.

Eileen Burke n'aimait pas le travail qu'on lui avait confié. Elle n'aimait pas vivre chez quelqu'un d'autre, elle n'aimait pas *être* quelqu'un d'autre. De plus, elle était privée de Bert Kling, car Annie Rawles lui avait demandé de ne pas le voir tant qu'elle se ferait passer pour Mary Hollings. Si le violeur la découvrait en compagnie d'un homme qu'il n'avait jamais vu auparavant, il soupçonnerait peut-être un piège. Eileen était l'appât. Si le rat flairait une odeur suspecte sur le morceau de fromage offert, il détalerait.

L'appartement de Mary Hollings avait un style qu'Eileen aurait qualifié de victorien draculesque. Il faisait penser au château du comte Dracula, la chaleur en moins. Les murs avaient exactement la même couleur que ceux de tous les commissariats de la ville ; les tapis d'Orient de la salle de séjour et de la chambre étaient élimés ; les doubles rideaux du living ressemblaient à ceux que Mrs Haversham refuse d'ouvrir dans *De grandes espérances* – avec quand même un peu moins de poussière, Eileen devait le reconnaître. Enfin, le désordre était indescriptible.

Et délibéré.

Au cours des quelques jours qu'Eileen avait passés avec Mary pour prendre ses habitudes, elle avait constaté que cette femme était une souillon. Peut-être parce qu'elle était divorcée, peut-être parce qu'elle avait été violée. Quoi qu'il en soit, le désordre était indescriptible. A sa première visite, Eileen avait découvert des culottes, des combinaisons, des blouses, des pulls et des pantalons traînant par terre, sur les sofas, sur les dossiers des chaises ou la tringle du rideau de douche. Des chaussettes et des bas de toutes les couleurs de l'arc-en-ciel jonchaient le sol, comme des serpents au dos brisé. « En général, je fais le ménage le samedi ou le dimanche, avait expliqué Mary. Inutile de se fatiguer à ranger pendant la semaine. » Eileen avait simplement hoché la tête : elle était là pour *observer* les habitudes de Mary Hollings, pas pour les critiquer. Au cours de leur seconde rencontre, qui avait eu lieu le lendemain matin, mercredi 12 octobre, elle s'était familiarisée avec l'appartement et la routine de Mary. Le 14, Mary était partie pour la Californie en laissant derrière elle autant de débris qu'une vaste armée de femmes malpropres. Le samedi, Eileen avait rangé.

Depuis, cinq jours s'étaient écoulés.

Les vêtements qui jonchaient à présent le sol étaient les siens. Elle les avait apportés en plusieurs fois, généralement dans des sacs en plastique, de crainte qu'un éventuel observateur ne soit alerté par des valises. C'était elle aussi qui avait sali la vaisselle empilée dans l'évier. Mais pas question de faire le ménage avant samedi ou dimanche : il fallait que tout paraisse comme d'habitude, au cas où quelqu'un l'observerait. Eileen espérait qu'elle était sous surveillance, c'était la raison de sa présence.

Dans la salle de séjour, les fenêtres encadrées par les beaux doubles rideaux poussiéreux de Mrs Haversham donnaient sur la rue. Eileen les avait ouverts le jour de son arrivée afin d'être mieux vue. Il était cependant plus facile de l'observer dans la chambre, dont les fenêtres, munies de stores vénitiens qui n'avaient pas été nettoyés depuis la fondation de Venise, s'ouvraient sur un large passage et un bâtiment distant de cinq ou six mètres. Un homme caché derrière une des fenêtres ou sur le toit pouvait aisément voir dans l'appartement. Eileen espérait qu'il avait des jumelles et qu'il la voyait parfaitement. Elle espérait qu'il ne tarderait plus à passer à l'action. Samedi, elle ramasserait les vêtements qu'elle avait délibérément laissé traîner dans tout l'appartement et descendrait les laver au sous-sol. Dimanche, elle repartirait de zéro, pour ainsi dire, mais elle ignorait combien de temps elle pourrait tenir dans ce fouillis. Par comparaison, son propre appartement avait l'austérité spartiate d'une cellule de moine.

Elle s'était plainte du désordre à Bert une demi-heure plus tôt – au téléphone, bien sûr. Il l'avait écoutée patiemment avant de l'assurer que cela finirait bientôt. Il lui avait dit qu'elle lui manquait et lui avait demandé combien de temps encore Annie Rawles la ferait rester dans l'appartement de quelqu'un d'autre, avec les vêtements de quelqu'un d'autre...

– Je porte ma propre robe de chambre, avait répondu Eileen.

– Et s'il te regarde en ce moment ? Il voit une autre robe de chambre, il se dit : « Oh-oh, c'est un piège ! »

– Mary aurait pu s'acheter une nouvelle robe de chambre. D'ailleurs, elle passe toutes ses matinées à faire des achats. Elle se lève à neuf heures, met deux heures pour prendre une douche et s'habiller. Ne me demande pas pourquoi. Il est arrivé au lieutenant de m'appeler chez moi pour un cas d'urgence et j'étais prête dix minutes plus tard, fraîche comme une rose, propre comme un sou neuf.

– Pour reprendre les clichés de rigueur.

– Gros malin. Bref, Mary sort de chez elle tous les jours à onze heures et fait des courses jusqu'à une heure. Ce matin, j'ai dévalisé quatre grands magasins, Bert, et j'ai failli t'acheter un slip très sexy.

– Pourquoi failli ? J'en rêve depuis toujours !

– Je me suis dit que s'il m'observait, il trouverait bizarre que j'achète un slip d'homme.

– Tu ne l'as toujours pas repéré ?

– Non, mais je sens qu'il est dans le coin.

– Tu le sens ?

– Juste une impression. Je me suis sentie observée en déjeunant – Mary déjeune à une heure précise tous les jours. Enfin, tous les jours de la semaine. Le samedi, elle ne met pas le réveil, elle fait la grasse matinée. Le dimanche aussi.

– Je passerai bien dimanche matin, comme si je venais m'occuper du chauffage.

– Bonne idée. J'ai vraiment besoin qu'on me réchauffe. Je disais donc qu'aujourd'hui, pendant le déjeuner, j'ai eu l'impression qu'il était là.

– Dans le restaurant ?

– Mary ne mange pas au restaurant mais dans les centres macrobiotiques. J'ai avalé plus de germes de haricot la semaine dernière que...

– Et il était là ?

– Je *ne sais pas*, c'était juste une impression. L'endroit est surtout fréquenté par des femmes, mais il y avait aussi cinq ou six hommes, dont trois au moins correspondant au signalement donné par les victimes : blanc, la trentaine, deux mètres, quatre-vingt-dix kilos, châtain, yeux bleus.

– Ça pourrait être n'importe qui.

– Tu ne m'apprends rien.

Après un instant de silence, Bert Kling avait annoncé :

– J'ai une idée formidable.

– Sur le violeur ?

– Non, une idée pour nous. Tu veux que je te la dise ?

– Bien sûr.

– Tu prends une douche...

– Huh-huh.

– Tu enfiles ta robe de chambre...

– Huh-huh.

– Tu te couches dans ton lit douillet...

– Le lit de Mary, tu veux dire.

– Exact. Tu te couches quand même et à ce moment-là, je te rappelle.

– Je n'ai pas envie de dormir, il n'est que dix heures.

– Qui te parle de dormir ?

– Oh ! je vois. Tu veux me dire des obscénités au téléphone, c'est cela ?

– Pas exactement.

– Alors, qu'est-ce que tu veux exactement, espèce de vieux cochon ?

– Cochon, oui. Vieux, non. Qu'est-ce que tu en dis ?

– D'accord, donne-moi une demi-heure.

– Une demi-heure ? Tu viens de me raconter qu'il te faut seulement dix minutes pour te préparer.

– Je me soigne particulièrement pour les coups de téléphone obscènes, avait répondu Eileen avant de raccrocher.

Elle était sous la douche quand le téléphone se mit à sonner. Supposant que ce ne pouvait être déjà Bert, elle continua à se doucher, mais à la dixième sonnerie, elle sortit de la salle de bains et alla décrocher dans la salle de séjour.

– Allô ?

– Eileen ? fit une voix de femme.

– Oui ?

– C'est Mary Hollings.

– Oh, bonsoir. Excusez-moi, je n'avais pas reconnu votre voix.

– Je ne vous dérange pas ?

– J'étais sous la douche, c'est pour ça que j'ai mis si longtemps à répondre. Vous téléphonez de Californie ?

– Oui. Je suis gênée de vous demander ce service...

– Je vous en prie. De quoi s'agit-il ?

– Eh bien... Normalement, je paie le loyer le 15 du mois. Et... j'ai emporté mon petit chéquier pour régler les notes qu'on fera suivre...

– Vous avez demandé à la poste de faire suivre votre courrier ? interrompit brusquement Eileen.

– Euh... oui.

Il y eut un silence puis Mary Hollings demanda :

– J'ai fait une bêtise ?

– Non, non, assura la femme flic.

Elle n'en pensait rien. Chaque matin, dans le cadre du programme journalier que Mary lui avait décrit, elle descendait prendre son courrier dans la boîte et s'était étonnée de n'y trouver que des revues ou des prospectus. Pas de lettres ni de factures. A présent, elle avait l'explication.

Mais si le violeur avait surveillé Mary avant son départ pour la Californie, l'avait-il vue entrer dans le bureau de poste ? Et s'il l'avait suivie à l'intérieur, l'avait-il vue remplir un formulaire de changement d'adresse ? Et dans ce cas, savait-il que la femme vivant dans l'appartement de Mary Hollings n'était pas Mary Hollings ? Eileen n'aimait pas du tout cette histoire.

– Je ne suis pas sûre d'avoir payé le loyer avant de partir, reprit Mary. Normalement, je règle deux ou trois jours avant échéance. J'envoie un chèque à l'agence Reynolds...

– Oui, fit Eileen.

– Mais j'ai emporté seulement mon petit chéquier, celui que je mets dans mon sac...

– Oui, dit Eileen.

– Et habituellement, je paie le loyer avec le *gros*

chéquier. Celui qui a trois chèques par page, vous voyez ce que je veux dire ?

– Oui, répéta Eileen.

– Alors je ne peux pas vérifier si j'ai réglé ou non. Je ne voudrais pas que...

– Que puis-je faire pour vous ?

– Vous êtes dans le séjour, non ? C'est là que se trouve le téléphone...

– Je suis dans le séjour, répondit Eileen.

« En train de mouiller ton tapis d'Orient », ajouta-t-elle *in petto.*

– Dans le bureau du téléphone, le dernier tiroir de droite...

– Oui, dit Eileen.

– C'est là que je range le *gros* chéquier. Je ne l'ai pas pris parce que je pensais que le *petit* suffirait...

– Oui.

– Est-ce que cela vous dérangerait de vérifier si j'ai payé le loyer, avec le *gros* chéquier ? Si je l'ai fait, c'était vers le 12 ou le 13. Vous pouvez regarder ?

– Bien sûr. Un instant.

L'inspectrice ouvrit le tiroir, chercha parmi les classeurs et trouva le chéquier.

– Voilà, je l'ai. Je vérifie.

Elle tira la chaise, s'assit, alluma la lampe et ouvrit le chéquier en disant :

– 12 ou 13 octobre ?

– A peu près.

– 7... 9... murmura Eileen en tournant les talons. 11... 12, oui, agence Reynolds, six cent quatorze dollars, avec l'indication « loyer octobre ». C'est payé, Mary.

– Quel soulagement ! J'étais vraiment inquiète. Je me demandais si le propriétaire ne changerait pas la serrure ou quelque chose de ce genre. A mon retour, j'aurais trouvé – à propos, ce sera quand ? Mon retour, je veux dire. Vous avez déjà obtenu des résultats ?

– Rien du tout.

– Parce que... ma sœur est charmante, elle est ravie

de m'avoir, mais j'ai déjà passé près d'une semaine chez elle et...

– Oui, je comprends.

– J'ai l'impression que ma présence commence à lui peser.

– Oui.

– Elle n'a rien dit, remarquez...

– Oui.

– Mais on sent ce genre de choses, n'est-ce pas ?

– Oui.

– Alors, combien de temps cela va encore durer, à votre avis ? Vous comptez rester chez moi longtemps ? S'il ne se montre pas, je veux dire.

– Il faut que j'en discute avec l'inspectrice Rawles, répondit Eileen. Je peux vous rappeler demain ?

– Bien sûr, rien ne presse. Ma sœur ne me jettera pas à la rue. Je me demandais, c'est tout.

– J'essaierai de savoir et je vous rappellerai.

– Vous avez le numéro de Long Beach ?

– Oui, vous me l'avez donné.

– Bon. Eh bien, bonne chance.

– Merci. Au revoir.

Eileen raccrocha, regarda sa montre : si elle ne se pressait pas, elle ne serait pas prête pour le premier coup de téléphone obscène de son existence. Elle se dirigeait vers la chambre quand le téléphone se remit à sonner. Bert ? Avec un quart d'heure d'avance ? ou encore Mary avec un autre service à lui demander ? Elle retourna au bureau, décrocha.

– Allô ?

– Eileen ?

Elle reconnut la voix aussitôt.

– Salut, Annie. Comment allez-vous ?

– Et *vous* ?

– Je survis. Quoi de neuf ?

– Vous avez une minute ?

– Juste une minute, alors.

– Des projets pour ce soir ?

— Plus ou moins.

Eileen ne jugea pas bon d'expliquer à l'inspectrice de première classe Annie Rawles de quel genre de projets il s'agissait. D'ailleurs, ce n'était pas très clair pour elle-même, elle n'avait pas d'expérience en ce domaine. Mais elle avait lu des livres, ça, oui, et des fantasmes de toutes sortes dansaient dans sa tête.

— Vous sortez ? demanda Annie.

— Non, pas ce soir. Hier soir, je suis sortie. Je suis allée au cinéma.

— Pas vu le violeur ?

— Non.

— Vous étiez seule ?

— Autant qu'on puisse l'être.

— J'en suis désolée, mais...

— Ne vous en faites pas. Je viens d'avoir un coup de fil de Mary Hollings, elle...

— De Californie ?

— Oui. Elle voudrait savoir quand je libérerai son appartement.

— Peut-être plus tôt que vous ne le pensez, répondit Annie.

— Vous annulez l'opération ?

— Non, non.

— Alors quoi ?

— J'ai quelque chose qui pourrait vous intéresser.

Annie Rawles entreprit d'expliquer à Eileen le cycle qu'elle avait découvert en travaillant sur ses listes. Eileen regarda sa montre, prit machinalement un stylo et un bloc et se mit à griffonner en écoutant Annie. Elle nota les dates des trois viols de Mary Hollings — le 10 juin, le 16 septembre, le 7 octobre — et déclara :

— Ça ne colle pas. Il y a un long intervalle entre juin et septembre.

— Oui, mais si vous comptez les semaines — vous avez un calendrier sous la main ?

— Une seconde, dit Eileen en ouvrant le chéquier de Mary Hollings à la première page. Oui, allez-y.

– Comptez avec moi. Premier viol le 10 juin. Quatre semaines après, c'est le 8 juillet. Trois semaines après, le 29 juillet... Vous me suivez ?

– Euh, oui, marmonna Eileen, perplexe.

– Deux semaines après le 12 août. Une semaine après, le 19. Fin du cycle. Vous commencez à comprendre ?

– Pas encore.

– Quatre semaines après le 19 août, c'est le 16 septembre... Vous avez noté les dates des viols ?

– Oui. 16 septembre, c'est cela.

– Et ensuite ?

– Le 7 octobre.

– Trois semaines plus tard exactement. Et si vous ajoutez deux semaines, vous obtenez quoi ?

– Le 21 octobre.

– Demain, dit Annie.

– Alors vous croyez que...

– Je crois... Ah ! qui peut savoir comment fonctionne l'esprit de ce malade ? Il n'y a peut-être pas de cycle du tout, juste une série de coïncidences. Mais si cycle il y a, Mary Hollings est la seule victime qu'il ait violée le vendredi, et demain, c'est vendredi, deux semaines après le dernier viol.

– Je vois, murmura Eileen.

– Alors je vous conseille d'être prudente demain.

– Merci.

– Vous voulez du renfort ?

– On risque de lui faire peur. Non, je tente le coup seule.

– Eileen... faites très attention.

– Entendu.

– Il a un couteau.

– Je le sais.

– Il s'en est déjà servi.

– Je le sais.

– S'il le sort, ne posez pas de questions, descendez-le.

– D'accord, dit Eileen.

Elle hésita avant de demander :

– Quand pensez-vous qu'il passera à l'action ?

– Il a toujours attendu la tombée de la nuit.

– Alors j'ai toute la journée pour faire des achats, manger de la bouffe macrobiotique et aller au musée ?

Annie Rawles éclata de rire puis redevint aussitôt sérieuse.

– En faisant tout cela, cherchez quand même à le repérer. S'il doit frapper demain soir, il vous suivra peut-être.

– D'accord.

– Vous êtes sûre de ne pas vouloir de renfort ?

Eileen n'en était pas sûre mais dit cependant :

– Je ne veux pas risquer de le manquer.

– Je ne parle pas d'hommes. Nous pourrions mettre une ou deux femmes dans le coup.

– Il les repérerait peut-être. Nous sommes trop près du but, Annie.

– Comme vous voudrez... Mais rappelez-vous ce que je vous ai dit : s'il sort son couteau...

– J'ai saisi, répondit Eileen en regardant sa montre. C'est tout ?

– Bonne chance, conclut Annie Rawles, qui raccrocha.

« Deux fois "Bonne chance" en une soirée, pensa Eileen en reposant le combiné. J'en aurai besoin, c'est sûr. »

Elle passa dans la chambre, se demanda si elle mettrait une chemise de nuit et opta finalement pour des panties. Elle s'apprêtait à baisser les stores quand le téléphone sonna à nouveau. Elle retourna dans la salle de séjour, décrocha.

– Allô ?

– Chérie ? C'est moi, annonça Kling.

– Oui, Bert. J'allais justement...

– Ecoute, je suis navré mais le Service des immatriculations vient de nous filer des noms et des adresses pour l'affaire des pendaisons. Le lieutenant m'a téléphoné, il veut que nous formions trois équipes.

– Oh ! fit Eileen.

– Alors... euh... ce sera pour une autre fois, je crois.

– Bon.

– Peut-être demain soir.

– Peut-être.

– Il faut que je me grouille, Meyer passe me prendre dans cinq minutes.

– D'accord, chéri. Sois prudent.

– Toi aussi.

Eileen raccrocha, retourna dans la chambre. En tendant la main vers les cordons des stores vénitiens, il lui vint soudain à l'esprit que l'idée de Bert n'était pas réalisable, de toute façon : il n'y avait pas de téléphone dans la pièce.

Avec un soupir, elle baissa les stores.

Accroupi derrière le parapet du toit de l'immeuble d'en face, il vit dans ses jumelles les stores se baisser et la chambre fit place à un rectangle de lumière aussi impénétrable qu'un mur.

Il l'épiait depuis la tombée de la nuit. Il aurait préféré la suivre toute la journée, mais impossible : il n'était pas libre avant quatre, parfois cinq heures de l'après-midi. Et même pour sortir le soir, il avait des difficultés. Les excuses qu'il devait inventer ! Il ne voulait pas trop sortir le soir, car il devait absolument être libre aux dates inscrites sur le calendrier. Quoi qu'on lui proposât d'autre, il répondait : « Non, désolé, je suis pris. » Par ceci ou cela – on croyait toujours ses excuses. Cela n'allait pas toujours sans questions, mais on finissait par le croire. C'était un homme déterminé. Les gens savaient depuis longtemps qu'il était inutile de tenter de lui faire changer d'avis.

Mary Hollings devait le savoir elle aussi, maintenant. Trois fois déjà – demain soir, ce serait la quatrième. Quatre, cela suffirait sans doute, mais cinq, ce serait encore mieux. Avec cinq fois, on était raisonnablement sûr du résultat. Il se demanda s'il pénétrerait une nouvelle fois dans l'appartement le lendemain soir. Probablement pas. Trop risqué. Il avait failli tomber de l'échelle d'incendie, la dernière fois. Son pied avait glissé pendant qu'il grimpait. Trop risqué. Ensuite, il était sorti par la porte de devant, c'était beaucoup moins dangereux ; il avait dévalé l'escalier, était sorti dans la rue et avait attendu l'arrivée de la voiture de police. Il savait qu'elle appellerait la police, elle l'avait fait chaque fois.

Demain, il essaierait de l'attraper dans la rue – à moins qu'elle ne sorte pas. La veille, elle était allée au cinéma puis était rentrée à pied. Une occasion idéale pour une quatrième fois mais il fallait s'en tenir au calendrier. Quand on a un plan, on le suit. Et puis, elles étaient trop nombreuses, maintenant. S'il ne suivait pas le calendrier, il ne s'y retrouverait plus. Même quand une occasion se présentait, comme la veille, il valait mieux s'abstenir et respecter les impératifs du calendrier.

Très affairée, ce soir, Mrs Mary Hollings.

Elle trottait dans l'appartement comme si elle cherchait ce qui allait lui arriver. Elle le cherchait peut-être vraiment. Toutes de sales hypocrites ! Elles voulaient toutes la même chose mais prétendaient avoir d'autres raisons. Elles essayaient de purifier l'acte en lui donnant un sens plus noble. Elles tentaient d'imposer ce sens aux autres. Elles niaient l'acte sexuel lui-même, le réduisaient à un moyen en vue d'une fin. Aux oubliettes ce qu'elles éprouvaient *réellement* dans l'amour ! aux oubliettes les petits actes auxquels elles se livraient dans l'intimité quand il les observait. Un esprit pur, ça, oui ! mais le cœur, c'était une autre affaire.

Le cœur et la fente entre les jambes. C'était ce qui les gouvernait vraiment. Mary Hollings se déshabillait sans baisser les stores, tout le monde pouvait la voir. Combien de mètres entre les deux bâtiments ? Pas besoin de jumelles pour contempler la marchandise qu'elle proposait, cheveux et poils roux, seins ronds comme des melons. Mrs Mary Hollings qui défendait une théorie niant la sexualité au profit de la *féminité*, de la *femellité* présente chez toute bête. Ce soir, elle était passée devant la fenêtre vêtue seulement d'une serviette puis elle était revenue plus tard dans la chambre enfiler des panties et s'admirer dans le miroir, les stores toujours relevés. Elle était ensuite retournée dans la salle de séjour – il connaissait l'appartement, il y avait pénétré.

Dans la fille aussi.

Trois fois.

Demain soir, ce serait la quatrième fois pour Mrs Mary Hollings.

Demain soir.

10

Le soir du meurtre de Darcy Welles, trois hommes avaient laissé leur voiture au garage proche du restaurant *Chez Marino* entre huit et dix heures. Le lieutenant Byrnes décida qu'il fallait explorer les trois pistes simultanément sans attendre. Si l'un d'eux était le meurtrier, on ne pouvait remettre au lendemain ; s'ils étaient tous trois innocents, on avait plus de chances de les trouver chez eux le soir que le lendemain matin, jour ouvrable.

Cinq des inspecteurs formant les trois équipes auraient mieux aimé rester au lit que parcourir toute la ville à la recherche d'un homme dont la culpabilité n'était pas certaine. Ollie Weeks, le sixième, aimait mieux participer à une chasse à l'homme à travers la ville que rester dans un appartement que lui-même trouvait miteux. Le lieutenant Byrnes n'était pas sûr que le règlement permettait à Weeks de prendre part à une éventuelle arrestation, mais Ollie avait fait valoir que le troisième macchab avait été découvert dans le

83e, son secteur, et qu'il avait donc parfaitement le droit d'être dans le coup. « D'ailleurs, avait-il subtilement ajouté, c'est moi qui ai eu l'idée des tickets, au garage. Sans les tickets, le Service des immatriculations aurait pas donné les noms et les adresses, alors, assez de finasseries, d'accord, lieutenant ? »

Les six policiers se mirent en route vers dix heures et demie. Carella, qui avait la *chance* de faire équipe avec Weeks, levait les yeux au ciel tandis qu'ils descendaient prendre une conduite intérieure banalisée. Ollie portait un manteau écossais et un chapeau de chasse, ce qui pour lui était une tenue plutôt soignée. Le temps, doux pendant la journée, avait fraîchi lorsque le soleil avait sombré derrière l'horizon : la lune de miel automnale semblait terminée. Carella, qui ne s'était pas changé depuis le matin, avait un peu froid et espérait que le chauffage de la conduite intérieure fonctionnait. Ce n'était pas le cas.

Le propriétaire de la Mercedes-Benz immatriculée 604J29 vivait à moins de dix minutes du commissariat et s'appelait Henry Lytell.

– Ça me dit quelque chose, grommela Weeks, qui conduisait.

Assis à côté de lui, Carella, penché en avant, frappait du poing sur le chauffage.

– Ça te dit rien, à toi, Henry Lytell ? poursuivit Ollie.

– Non, rien... Bon, tant pis, ça ne marche pas, je laisse tomber.

– Vous devriez demander de nouvelles bagnoles, conseilla Ollie.

Carella grogna, releva le col de sa veste de sport et rentra le cou dans les épaules.

– Moi j'ai toujours des fringues dans le coffre, au cas où il se mettrait à faire froid, ou à pleuvoir, dit Weeks.

– Mmm, fit Carella.

– On aurait dû prendre ma guinde au lieu de cette chiotte pourrie. Au 83, on a des bagnoles toutes neuves, des Mercury et des Ford. Le lieutenant descend chaque fois qu'on rentre pour voir si on n'a pas fait une griffe dessus. Ah ! on sait vivre, au 83... Ça me dit quelque chose, Henry Lytell. C'est pas un acteur ?

– Connais pas.

– Lytell, Lytell. C'est le nom de quelqu'un, j'en suis sûr.

Carella ne releva pas la stupidité de la remarque.

– C'est « Henry » qui me chiffonne, continua Weeks. C'est quoi, déjà, l'adresse ?

– 843, Holmes.

– Comme Sherlock ?

– Tout juste.

– Si on décroche la timbale, on partage, c'est d'accord ? Le mérite reviendra aux *deux* commissariats.

– Tu veux devenir préfet de police ?

– Je suis content de mon sort, répondit Ollie. Mais ce qui est juste est juste.

– Tu n'as pas froid ? demanda Carella.

– Moi ? non. T'as froid, toi ?

– Oui.

– Paraît qu'il va pleuvoir.

– Il fera plus chaud pour ça ?

– C'était juste histoire de causer.

Les deux hommes restèrent un moment silencieux puis Weeks demanda :

– Meyer t'a raconté ce que j'ai dit sur *Hill Street Blues* ?

– Non.

– Qu'on devrait leur faire un procès ?

– Qui, « on » ?

– Toi et moi.

– Pourquoi ?

– Tu trouves pas que Furillo, ça ressemble à Carella ?

– Non.

– Et *Charlie* Weeks, tu trouves pas que ça ressemble à *Ollie* Weeks ?

– Non.

– Non ?
– Non. C'est différent.
– Pour moi, c'est presque le même nom.
– Comme *Howard* Hunter et *Evan* Hunter, alors.
– C'est pas du tout pareil.
– Ou comme *Arthur* Hitler et *Adolf* Hitler.
– Ah ! tu tournes ça à la blague, se plaignit le gros flic. De toute façon, je parie qu'il y a plus personne au monde qui s'appelle Hitler. Même en Allemagne, y a plus un Boche qui s'appelle Hitler. Ils ont tous changé de nom.
– Pourquoi n'en fais-tu pas autant ? Si Charlie Weeks t'embête, fais-toi appeler Ollie *Jones* par exemple.
– Pourquoi ce serait pas Charlie Weeks, ou Furillo, qui changerait ?
– Je ne vois aucun rapport entre Furillo et Carella.
– Pourquoi tu te mets en rogne ?
– Je ne suis pas en rogne, j'ai froid.
– On va résoudre une affaire et il se met en rogne !
– Tu ne peux pas savoir si on va résoudre l'affaire.
– Je le sens dans mes os... Nous y voilà.
Weeks s'arrêta en double file à côté d'un break garé devant l'immeuble de Henry Lytell. C'était un bâtiment de six étages, sans portier. Ils pénétrèrent dans le petit hall, examinèrent les boîtes aux lettres.
– Lytell H., dit Ollie. Appartement 6 B. Dernier étage – j'espère qu'il y a l'ascenseur... Ça te dit rien, Lytell ?
– Non, répondit Carella.
Il faisait aussi froid dans l'entrée de l'immeuble que dans la voiture – un froid humide, pénétrant, qui annonçait de la pluie.
Weeks appuya sur le bouton de la sonnette du tableau situé près des boîtes aux lettres et y laissa le doigt. La serrure de la porte intérieure ne bourdonna pas.
– Tu crois qu'il y a un concierge dans cette crèche ? grogna-t-il en examinant le tableau. Tiens, ce serait trop beau.
Il pressa le bouton situé en face du nom Nakura,

appartement 5 B, et la serrure bourdonna. Weeks saisit la poignée de la porte, ouvrit.

– Merci, mon Dieu, pour les petites joies de l'existence, dit-il en se dirigeant vers le minuscule ascenseur situé au fond de l'entrée.

Il appuya sur le bouton d'appel et les deux hommes attendirent.

– Dans ces vieux immeubles, les ascenseurs se traînent comme un nègre au mois d'août, se lamenta Ollie.

– Tu veux un conseil ? proposa Carella.

– Ouais, lequel ?

– Ne fais jamais équipe avec Arthur Brown.

– Pourquoi ? Oh ! à cause de ce que je viens de dire. C'est juste une façon de parler.

– Brown ne serait peut-être pas de cet avis.

– Mais si, assura Weeks. Il a le sens de l'humour, Brown. Qu'est-ce que j'ai dit de mal ? C'est une façon de parler.

– Je n'aime pas tes façons de parler.

– Allez, allez, fit Ollie en tapotant le dos de Carella. Te mets pas en rogne ce soir, Steve-a-rino. On va résoudre une affaire.

– Ne m'appelle pas Steve-a-rino.

– Comment tu veux que je t'appelle ? Furillo ?

– Mon nom est Steve.

– Furillo, c'est *Frank*, mais le sergent, à la télé, il l'appelle Francis tout le temps. Je vais peut-être t'appeler Stephen. Tu veux que je t'appelle Stephen, Stephen ?

– Je veux que tu m'appelles Steve.

– D'accord, Steve. Tu aimes *Hill Street Blues*, Steve ?

– Je n'aime pas les séries policières, déclara Carella.

– Qu'est-ce qu'il fout, cet ascenseur à la con ?

– Tu veux monter à pied ?

– Six étages ? Sûrement pas.

L'ascenseur finit par arriver, les deux hommes y pénétrèrent, Ollie appuya sur le bouton du sixième et les portes se refermèrent.

– A ce train-là, on arrivera là-haut mardi prochain, dit l'obèse.

Au sixième étage, ils trouvèrent l'appartement 6 B non loin de l'ascenseur.

– On se met de chaque côté de la porte, suggéra Weeks, le pistolet déjà à la main. Lytell est peut-être le type qui aime briser les nuques.

Carella se posta à gauche, Weeks à droite. Ollie appuya sur la sonnette, un carillon retentit à l'intérieur. Ils attendirent. Ollie pressa de nouveau la sonnette, colla l'oreille à la porte, écouta.

– Un silence de cimetière, dit-il. Recule, Steve.

– Pourquoi ?

– Je vais filer un coup de pompe dans la porte.

– Tu n'as pas le droit de faire ça, Ollie.

– Qu'est-ce qui m'en empêche ? répliqua Weeks en levant la jambe droite.

– Ollie...

Le pied du gros policier frappa la serrure, qui céda. La porte s'ouvrit sur un vestibule plongé dans l'obscurité.

– Y a quelqu'un ? beugla Ollie.

Il entra dans l'appartement, les jambes fléchies, agitant son arme devant lui.

– Allume, demanda-t-il à son collègue.

Carella chercha à tâtons l'interrupteur, le trouva, appuya dessus.

– Police ! s'écria Weeks. Couvre-moi, Steve.

Il fit un pas en avant et Carella braqua son pistolet en direction de la pièce vers laquelle Ollie avançait. « Mais qu'est-ce que je fabrique ? se demanda Carella. C'est *illégal.* »

Weeks alluma la lumière dans la salle de séjour, qui était déserte. Sur l'un des murs, un tableau immense représentait un coureur en tenue produisant son effort. Il y avait deux autres portes, fermées l'une et l'autre. Sans un mot, les inspecteurs se séparèrent, Ollie prenant la porte de droite, Carella celle de gauche. Elles donnaient toutes deux sur des chambres, vides également.

– On fouille, décida Ollie.

– Non, répondit Carella.

– Pourquoi non ?

– Nous ne devrions même pas être ici.

– Ben, on y est. T'as remarqué, j'espère ?

– Nous y sommes *illégalement.*

– Steve, Steve, dit Weeks d'un ton paternel en secouant la tête. Laisse-moi te raconter un conte de fées. Tu aimes les contes de fées, Steve ?

– Ollie, tu sais que tu joues avec l'Arb...

– Ecoute d'abord mon conte de fées. Deux flics honnêtes et travailleurs vont un beau soir voir un suspect possible. Ils arrivent à l'appartement du type – justement celui où nous sommes en ce moment –, et devine ce qu'ils trouvent ? Ils s'aperçoivent qu'un cambrioleur a déjà pénétré dans l'appartement et l'a mis sens dessus dessous. En bons flics honnêtes et travailleurs qu'ils sont, ils signalent le cambriolage au commissariat du coin et ils poursuivent joyeusement leur route. Qu'est-ce que t'en dis, Steve ? T'aimes pas les contes de fées, peut-être ?

– Je les adore, répondit Carella. Je vais te raconter celui de l'Arbre vénéneux, ça v...

– Ah ! oui, mon gars, l'Arbre vénéneux, fit Ollie, se lançant dans une de ses célèbres imitations de W.-C. Field. L'Arbre vénéneux, oui, oui, ça me rappelle vaguement quelque chose.

– C'est l'histoire d'un flic qui a omis de suivre la procédure légale avant de chercher un pic à glace dans un égout. Ce flic a fouillé la gadoue, il a trouvé le pic à glace, avec de bonnes empreintes du suspect, mais les informations permettant cette découverte avaient été obtenues illégalement, Ollie, et le D.A. lui a dit qu'il avait cueilli un fruit de l'Arbre vénéneux. Au tribunal, l'affaire s'est terminée par un non-lieu et le meurtrier a pu se remettre tranquillement à trucider les gens au pic à glace. C'est l'histoire de l'Arbre vénéneux, Ollie. Depuis combien de temps es-tu flic ?

– Ah ! oui, l'Arbre vénéneux, répéta Ollie, imitant toujours W.-C. Field.

– Nous sommes entrés sans mandat, reprit Carella, nous avons fracturé la porte et nous nous trouvons ici illégalement. Ce qui signifie que toutes les preuves que nous pourrions découvrir...

– Je vois ce que tu veux dire, mon garçon, coupa Weeks. Néanmoins, est-ce que cela te dérangerait beaucoup que je jette quand même un petit coup d'œil ? Sans toucher à rien ?

– Ollie...

– Parce que, de toute façon, c'est ce que je vais faire, conclut Weeks en reprenant sa voix normale. Même si ça te défrise. On est venus pour savoir si ce mec a quelque chose à voir avec les meurtres. Si...

– Nous sommes venus pour savoir s'il a garé sa voiture...

– Ça on le sait déjà ! On est pas venus pour ça, Steve.

– Nous sommes venus lui parler !

– Et il est pas là. Tu le vois, toi ? Alors à qui on parle ? Aux murs ?

– Nous allons demander au juge un mandat de perquisition. C'est la procédure lég...

– Nous allons regarder l'agenda du type pour voir où il est ce soir. Ensuite, on ira le chercher et on lui parlera *personnellement.*

– Et quand le juge...

– Le juge saura jamais qu'on a jeté un coup d'œil à l'agenda du mec. Je te l'ai déjà expliqué, Steve : en arrivant ici, on est tombés sur un cambriolage, et je vais le signaler avant qu'on parte. En attendant, je regarde dans le bureau pour voir s'il y a un agenda.

Ollie traversa la pièce, s'approcha du bureau, ouvrit le tiroir central.

– Tu vois ? dit-il. Facile. Le bonhomme nous facilite la tâche.

Il se tourna pour montrer un agenda à Carella.

– Ensuite, on ouvre à la page du mois d'octobre, poursuivit-il. Comme ça... Et on regarde au 20, la date d'aujourd'hui... Tiens, tiens ! Regarde-moi ça, Steve. C'est un agenda très bavard qu'il a, ce type.

Carella regarda.

Au 6 octobre, date de l'assassinat de Marcia Schaffer, Lytell avait écrit le nom de la jeune fille et en dessous celui de son université : Ramsey. Au 13 octobre, il avait écrit « Nancy Annunziato » et *Chez Marino*. Au 19, Carella lut le nom de Darcy Welles et à nouveau *Chez Marino*.

– Tu as vu ? demanda Ollie.

– J'ai vu.

– Aussi pour ce soir ?

Lytell avait écrit « Luella Scott » (« Une négresse, je parie », commenta Ollie) et le mot « Folger », qui ne pouvait que désigner l'université Folger, de Riverhead.

Weeks referma l'agenda en disant :

– On devrait mettre une demi-heure pour aller là-bas, vingt minutes si on branche la sirène. Je signale le cambriolage qu'on a découvert et on se tire d'ici – avant qu'il lui brise aussi la nuque.

Arthur Brown tombait toujours sur Diamondback.

Chaque fois qu'on lui donnait l'ordre de sortir du secteur du 87e, on l'expédiait à Diamondback. A croire que c'était une politique délibérée : envoyez vos flics noirs dans le quartier noir de Diamondback chaque fois qu'ils doivent franchir les limites du 87e.

Le boulot n'était pas facile pour un flic noir, à Diamondback. Beaucoup de Noirs du quartier n'étaient pas exactement du côté de la force publique et lorsqu'ils voyaient un flic noir, ils le considéraient comme traître à la cause. Quelle cause ? Brown l'ignorait. Il supposait que les habitants honnêtes du quartier – chauffeurs de taxi, prêtres, employés, secrétaires et autres travailleurs – se demandaient aussi en quoi un flic comme Arthur

Brown trahissait la cause des maquereaux, fourgues, prostituées, cambrioleurs et autres malfrats. La seule cause respectable à ses yeux, c'était d'être le meilleur possible dans un monde pourri. Diamondback était pourri jusqu'à la moelle. Brown ne se résoudrait jamais à y habiter, même s'il devait nettoyer les toilettes pour vivre – ce qu'il avait d'ailleurs parfois l'impression de faire déjà.

Brown était content de ne pas habiter Diamondback, où il se trouvait à nouveau, à onze heures moins dix, parlant au propriétaire d'une Cadillac Seville immatriculée WU3200.

Dès que le Service des immatriculations avait fourni une adresse dans Diamondback, Brown et Hawes avaient su que la piste était probablement mauvaise. D'après le serveur de *Chez Marino*, l'homme qui avait dîné avec Darcy Welles était blanc. Brown supposait qu'il devait bien y avoir des Blancs dans Diamondback, mais ils étaient sans doute très peu nombreux. Il y avait donc quatre-vingt-dix-neuf chances sur cent pour que l'homme qui répondrait à leur coup de sonnette soit noir – et il l'était effectivement. De même, il y avait neuf cent quatre-vingt-dix-neuf chances sur mille pour qu'un Noir possédant une Cadillac Seville flamblant neuve soit un trafiquant de drogue ou un souteneur.

Willy Bartlett était souteneur.

Hawes et Brown restèrent avec lui cinq minutes exactement – le temps qu'il leur explique que, la veille, il avait effectivement accompagné une de ses « petites amies » dans le centre. Les deux policiers savaient que c'était d'ailleurs du temps perdu parce que Bartlett n'était pas de la bonne couleur, pour commencer.

Et Brown songea que tous les Noirs de la ville n'étaient peut-être pas de la bonne couleur, pour commencer.

Eileen Burke ne pouvait pas dormir.

Il était vingt-trois heures et elle avait déjà mis le

réveil de Mary à neuf heures, ce qui lui laisserait quand même dix heures de sommeil si elle parvenait à chasser de son esprit tout ce qui l'empêchait de dormir. Elle pensait à Bert, frappant à une porte derrière laquelle se tenait peut-être un tueur ; elle pensait au violeur, qui viendrait peut-être frapper à la sienne le lendemain soir. Demain, si la découverte d'Annie avait un sens... Elle décida de se lever et d'aller vérifier les dates dans le calendrier plutôt que de rester à se morfondre dans son lit.

Elle alluma la lampe de chevet, rejeta les couvertures, posa les jambes par terre. Il faisait froid dans l'appartement. Elle enfila son peignoir, passa dans la salle de séjour, alluma la lumière, chercha dans le tiroir le chéquier de Mary et l'ouvrit à la première page. Les notes qu'elle avait prises en écoutant Annie se trouvaient encore sur le bureau et elle recompta les semaines soigneusement. Annie avait probablement raison : même avec le long intervalle de l'été (pourquoi pas de viols en juillet et août ?) il semblait bien y avoir un cycle. Demain, c'était le vendredi 21, et si l'homme agissait selon leurs prévisions, Mary Hollings recevrait une nouvelle visite. Par curiosité, Eileen feuilleta le chéquier en s'attardant sur les talons portant les dates des viols.

10 juin. Des achats dans les grands magasins et diverses factures : téléphone, électricité, etc. Une dizaine de chèques au total. Eileen passa au 16 septembre.

Là aussi beaucoup de chèques. La dame ne regardait pas à la dépense, la pension alimentaire qu'elle touchait devait être rondelette. Le loyer réglé à l'agence Reynolds (un peu en retard, ce mois-ci, hein, Mary ?), un abonnement à un théâtre, un don à l'A.C.I. (une association ?), un chèque pour la blanchisserie, d'autres à la Caisse d'épargne, à l'American Express, et à Visa.

« Qu'est-ce que c'est, l'A.C.I. ? se demanda Eileen. L'Association des catherinettes introverties ? L'Automobile-club de l'Illinois ? »

Eileen haussa les épaules.

Le 7 octobre, Mary n'avait fait que six chèques : deux dans les grands magasins (naturellement), un au musée Bowler (autre don), un quatrième à une société de dépannage de télévision, un cinquième, de cinq dollars soixante-quinze, à la pizzeria Lombino, et le dernier, de mille six cent cinquante dollars, à un nommé Howard Moscowitz pour honoraires.

« Et l'A.C.I. ? » se demanda à nouveau Eileen, qui avait horreur des mystères.

Elle feuilleta les premiers talons du chéquier pour voir si Mary avait fait un autre don à l'A.C.I. et avait indiqué le nom en toutes lettres : Association des curistes indolents, Académie de culture indienne ? Ou Agence pour la conservation des iguanes ?

Mary Hollings avait fait trois dons à l'A.C.I. au cours de l'année. Cent dollars en janvier, cinquante en juin, de nouveau cinquante le 16 septembre, date de son second viol. Ces versements répondaient sans doute à des sollicitations trimestrielles. Chaque fois, le talon du chèque portait simplement le sigle A.C.I. et la mention « don ».

Eileen bâilla.

Chercher la clé du mystère, c'était mieux que compter des moutons.

Elle tira à elle l'annuaire téléphonique d'Isola, qui se trouvait sur le bureau, l'ouvrit à la lettre *A*, fit courir son index de bas en haut sur les noms des abonnés : A.C.E... A.C.E.L... Son doigt s'arrêta sur A.C.I., 832, Hall Avenue, 388-7400.

« Pas loin d'ici, se dit-elle en recopiant l'adresse. Je demanderai à Annie de vérifier : trois dons en un an, c'est peut-être important. »

Elle bâilla une nouvelle fois, éteignit la lumière de la salle de séjour et retourna dans la chambre. En se couchant, elle songea à une dernière solution pour le sigle : Agissez contre l'insomnie.

Le propriétaire de la Chevrolet Citation immatriculée 38L4721 habitait Majesta et il fallut quarante minutes à

Meyer et Kling pour s'y rendre. Kling regarda sa montre tandis que son collègue garait la voiture devant le grand ensemble où vivait Frederick Sagel. Onze heures douze. Il était onze heures dix-sept quand il frappa à la porte de l'appartement situé au troisième étage.

– Qui est là ? cria une voix de femme.

Dans cette ville, toute visite après dix heures du soir était de mauvais augure.

– Police, annonça Meyer.

Il se sentait fatigué, la journée avait été longue. Il n'avait aucune envie de frapper à une porte à onze heures du soir, surtout si c'était celle d'un meurtrier.

– *Qui ?* demanda la femme d'un ton incrédule.

– Police, répéta Meyer.

– Euh... un instant.

Kling colla son oreille à la porte et entendit la femme murmurer :

– Freddie, c'est les flics.

Un homme – sans doute le nommé Freddy, et sans doute aussi Frederick Sagel – s'écria :

– Quoi ?

– Les flics, les flics, fit la femme d'un ton impatient.

– Bon Dieu ! laisse-moi le temps de m'habiller, dit Sagel.

– Il s'habille, glissa Kling à Meyer.

– Mmm, fit le chauve à perruque.

Sagel – si c'était bien lui – portait une robe de chambre sur un pyjama quand il ouvrit la porte. Agé d'environ vingt-cinq ans, il était petit et grassouillet, avec le crâne dégarni et des yeux marron. Un coup d'œil suffit aux deux policiers pour conclure qu'il ne s'agissait pas de l'homme décrit par le serveur du restaurant, mais ils n'en continuèrent pas moins la procédure habituelle, au cas où le garçon de *Chez Marino* se serait trompé.

– Frederick Sagel ? demanda Meyer.

– Oui ?

– On peut entrer une minute ? suggéra Kling.

– Pourquoi ? répliqua Sagel.

Derrière lui, dans l'appartement, une femme en peignoir – sans doute celle qui avait répondu à la porte, sans doute aussi l'épouse de Sagel – baissait le son d'un poste de télévision. Elle avait des rouleaux dans les cheveux : c'était ce qui faisait croire à Meyer qu'elle était la femme de Sagel et non sa petite amie.

– Nous aimerions vous poser quelques questions, déclara Kling. Si vous n'y voyez pas d'inconvénient.

– A quel sujet ? rétorqua Sagel, qui avait l'air d'un Anglais outragé défendant l'entrée de son sacro-saint château.

– De votre emploi du temps d'hier soir, répondit Meyer.

– Quoi ?

– Nous serions tous beaucoup mieux à l'intérieur, fit remarquer Kling.

– Oui... sûrement, marmonna Sagel en s'écartant de l'entrée.

A peine les inspecteurs eurent-ils pénétré dans l'appartement que la femme de Sagel sortit précipitamment de la salle de séjour par une porte qu'elle referma derrière elle. « Pudeur, pudeur », pensa Meyer.

– Euh... Asseyez-vous, proposa Sagel.

Les policiers s'installèrent sur le canapé, en face du poste de télévision muet. Sur l'écran, un sachet de drogue passait des mains d'un type dans celles d'un autre et Kling paria que l'un d'eux était un flic déguisé en acheteur : chaque fois qu'on voyait quelqu'un acheter de la drogue à la télé, c'était un gars de la Brigade des stup'.

– ... dans un garage de South Columbia ? disait Meyer. Entre Garden et Jefferson – plus près de Jefferson, en fait ?

– Oui, répondit Sagel, l'air intrigué.

– C'est bien là que vous avez garé votre voiture hier soir ? reprit Meyer. Une Chevry Citation immatriculée... Comment, déjà, Bert ?

Kling consulta son calepin.

– 38L4721.

– C'est bien mon numéro, dit Sagel. Enfin, je crois. Je ne le connais pas par cœur.

– Et vous êtes arrivé au garage à huit heures ? demanda Meyer.

– Vers huit heures, oui.

– Où êtes-vous allé ensuite, Mr Sagel ?

– A mon bureau.

– A huit heures du soir ? intervint Kling.

– Oui, monsieur.

– Pour quoi faire ? demanda Meyer.

– Pour y prendre du travail que j'avais oublié.

– Du travail ?

– Je suis comptable. Je devais emporter du travail à la maison, mais je l'avais oublié en quittant le bureau. Je travaille souvent chez moi. Nous avons un ordinateur au bureau, mais pour vous dire la vérité, je ne lui fais pas confiance. Alors, généralement, je vérifie le soir chez moi, avec *mes propres chiffres*. Comme cela, je suis sûr.

– Vous avez donc garé votre voiture vers huit heures...

– C'est exact.

– Et vous êtes allé au bureau chercher ce que vous aviez oublié...

– C'est exact.

– Mr Sagel, vous avez récupéré votre voiture à dix heures ?

– Oui, monsieur.

– Il vous a fallu deux heures pour prendre un dossier au bureau.

– Non. Je me suis arrêté pour prendre un verre. Il y a un restaurant avec un bar agréable près du bureau. J'y ai bu un verre avant de reprendre ma voiture.

– Quel restaurant ? demanda Kling.

– *Chez Marino.*

– Vous étiez *Chez Marino* hier soir ? dit Meyer.

– Oui, monsieur.
– Combien de temps ?
– Une heure à peu près. J'ai pris un verre ou deux en bavardant avec le barman. Vous savez ce que c'est...
– A quelle heure avez-vous quitté le restaurant ?
– Eh bien, j'y suis arrivé vers huit heures et quart, j'ai dû en ressortir à neuf heures et quart-neuf heures et demie.
– Et vous êtes arrivé au garage à dix heures ?
– Environ.
– Pourquoi avez-vous mis si longtemps ?
– Oh ! Je ne sais pas. Je me suis promené en regardant les vitrines. Il faisait tellement bon.
– Quand vous avez repris votre voiture, avez-vous remarqué par hasard une fille en robe rouge ?
– Non.
– Grande, brune, les yeux bleus ?
– Non, je n'ai vu aucune fille comme ça dans le garage.
– Ou au restaurant ?
– Je n'ai pas regardé dans le restaurant. J'étais assis au bar, comme je vous l'ai dit.
– Mr Sagel, connaissez-vous quelqu'un nommé Darcy Welles ? demanda Meyer.
– Ah ! je vois.
– Que voyez-vous, Mr Sagel ?
– Alors, c'est de cela qu'il s'agit. J'ai compris : la fille pendue au réverbère. D'accord, j'ai compris.
– Comment le savez-vous ? dit Meyer.
– Vous plaisantez ? C'est dans tous les journaux. Justement, on en parlait à la télé aux informations de onze heures quand vous avez frappé à la porte...
Sagel tourna la tête vers la porte et cria :
– Helen ! viens donc une minute. (Il revint aux policiers.) Ça alors, c'est incroyable que vous pensiez que j'aie quelque chose à voir là-dedans.
En fait, ils ne le pensaient pas.
Mais ils écoutèrent néanmoins Helen Sagel, qui leur

dit que son mari avait quitté l'appartement vers sept heures vingt, la veille, juste après le dîner, parce qu'il avait oublié quelque chose au bureau, et qu'il était revenu vers dix heures et demie-onze heures moins le quart, et qu'il sentait l'alcool comme s'il avait pris un verre ou deux.

– C'est fini ? grogna Helen Sagel. Je peux retourner me coucher ?

– Oui, madame. Merci, dit Meyer.

– Frapper à la porte des gens en pleine nuit ! grommela-t-elle en quittant la pièce.

– Désolé, s'excusa Meyer. Mais nous devons tout vérifier.

– Naturellement, dit Sagel. J'espère que vous le pincerez.

– Merci. En tout cas, nous faisons de notre mieux.

– Puis-je vous poser une question ?

– Certainement.

– C'est une perruque que vous portez ?

– Euh... oui, répondit le policier.

– Je songe à en acheter une, déclara Sagel. Pas une comme la vôtre. Une bien, que personne ne pourra remarquer. Vous voyez ce que je veux dire ?

– Euh... oui, bredouilla Meyer.

– Bonsoir, Mr Sagel, dit Kling. Merci de votre aide.

– Bonsoir, marmonna Meyer.

Il demeura silencieux jusqu'à ce qu'ils soient dans la rue et lança soudain à son coéquipier :

– J'ai l'air con avec ce truc, hein ?

Kling ne répondit pas.

– Bert ? insista Meyer.

– Eh bien... oui.

– M'ouais, fit Meyer.

Il ôta sa perruque, s'approcha de la rangée de poubelles alignées contre l'immeuble, souleva le couvercle de la première et y laissa tomber le postiche.

Au bâtiment administratif de l'université Folger, Carella et Ollie apprirent d'un employé aux yeux chassieux que Luella Scott y était effectivement étudiante et logeait sur le campus, dans le bâtiment Hunnicut, réservé aux jeunes filles de première année. Dans la voiture qui descendait les larges allées de l'université en direction du dortoir, Weeks fit remarquer :

– Ça fait cochon, comme nom, tu trouves pas ? Hunnicut, dans une université catholique... Moi, je trouve que ça fait cochon.

A l'intérieur du bâtiment, une étudiante assise derrière un bureau, le nez plongé dans un livre, leva la tête quand Carella frappa à la porte en verre, fermée à clé. Ollie lui fit signe d'ouvrir, la fille secoua la tête. Il sortit son portefeuille, colla son insigne bleu et or de policier contre le panneau de verre, mais la fille secoua à nouveau la tête.

– Z'ont des consignes de sécurité plus sévères qu'au Central, grogna Weeks. Police ! beugla-t-il de toutes ses forces. Ouvrez !

L'étudiante se leva, s'approcha de la porte.

– Quoi ? demanda-t-elle.

– Police, police ! cria Ollie. Vous voyez mon insigne ? Ouvrez, nom de Dieu !

– Je n'en ai pas le droit, répliqua la fille. Et ne jurez pas.

Ils l'entendaient à peine à travers les panneaux de verre qui les séparaient d'elle.

– Vous voyez ça ! tonna l'obèse en agitant l'insigne. On est des flics ! Des flics !

Elle baissa la tête, examina l'insigne.

– Je vais la descendre, cette petite garce, menaça Weeks. Ouvrez !

La fille ouvrit la porte et déclara d'un ton sec :

– Seules les étudiantes ont le droit de pénétrer dans le bâtiment. Nous fermons les portes à dix heures, après quoi, il faut sa propre clé pour entrer.

– Pourquoi vous restez assise derrière un bureau si vous laissez entrer personne ? demanda Ollie.

– C'est la réception. Elle ferme à dix heures.

– Alors pourquoi vous êtes encore là ?

– Je révise : ma compagne de chambre fait marcher la radio tout le temps.

– Faites comme s'il était pas encore dix heures, suggéra Ollie. Vous connaissez une fille nommée Luella Scott ?

– Oui.

– Où elle est ?

– Troisième étage, chambre 62. Mais elle est sortie.

– Où est-elle ? demanda Carella.

– Elle est allée à la bibliothèque.

– Quand ?

– Elle est partie vers neuf heures.

– Où se trouve la bibliothèque ? Sur le campus ?

– Naturellement.

– Où ?

– Il faut passer devant le bâtiment Baxter, traverser la cour, longer deux autres dortoirs pour arriver à une espèce de petit cloître, et la bibliothèque est juste après.

– Elle était seule ? demanda Ollie.

– Quoi ?

– Quand elle est partie ? Elle était seule ?

– Oui.

– Fonce, dit Weeks.

– Moi ? fit la fille.

Mais les deux inspecteurs étaient déjà dehors et descendaient l'allée en courant.

Il l'avait facilement identifiée : c'était l'une des trois coureuses noires de l'équipe et les deux autres avaient déjà plusieurs années d'études derrière elles. Il savait à quoi elles ressemblaient d'après les photos des journaux qu'il avait consultés à la bibliothèque. Luella Scott, la nouvelle, avait l'air d'une gosse maigrichonne, mais elle était rapide comme le vent. Intelligente aussi. Elle était entrée à l'université en automne, à dix-sept ans seulement. Dix-sept ans – les journaux en feraient des tartines.

Tous ces articles dans la presse d'aujourd'hui...

Il touchait presque au but.

Avec celle-là, il l'atteindrait.

Avec Luella Scott.

Caché derrière le vieil érable dont les feuilles jaunissantes bruissaient au vent frais, il voyait les fenêtres éclairées de la bibliothèque mais ne parvenait pas à repérer Luella à l'intérieur. Le bâtiment n'avait qu'une entrée et la fille l'avait franchie peu après neuf heures. Il l'avait suivie sans problème, il n'y avait guère de mesures de sécurité sur ce campus. On se serait attendu à plus de vigilance : avec autant de jeunes étudiantes et tous les violeurs qui rôdaient dans la ville...

Il regarda sa montre : presque onze heures et demie.

Que faisait-elle ?

C'était probablement une bûcheuse. On n'entre pas en fac à dix-sept ans sans beaucoup travailler. Il espérait quand même qu'elle ne tarderait plus à sortir. Il espérait aussi qu'elle serait la dernière de la série et que, cette fois, il toucherait au but. Il ne voulait pas se livrer à la police, on le prendrait pour un fou. *D'accord, monsieur, vous avez tué quatre filles. Formidable, retournez donc devant votre poste de télévision.*

Celle-là, il la casserait en deux s'il ne faisait pas attention. Elle avait l'air si fragile.

Pour l'accrocher au réverbère, ce serait facile, elle ne devait pas peser plus de cinquante kilos. Où trouvait-elle la force de courir comme elle le faisait ? Bon sang, ce qu'elle courait vite !

Il regarda le ciel. Pourvu qu'il ne se mette pas à pleuvoir... Pourtant, la pluie avait ses avantages. Elle chassait les gens des rues, il pouvait opérer plus tranquillement. Avec le type qui l'avait surpris, la veille, quand il sortait du parc en portant Darcy, il avait bien cru que ça y était. Il avait espéré que le vieux schnock irait au commissariat le lendemain matin. *Hé, vous savez quoi ? j'ai vu un mec sortir de Bridge Street Park hier soir avec un cadavre de fille dans les bras. Je parie que c'est le gars qui les pend aux réverbères !* Mais le vieux n'en avait rien fait, apparemment. D'ailleurs, les flics ne l'auraient sans doute pas cru. *Oui, pépé, retourne donc roupiller dans le parc.* Ou peut-être les policiers l'avaient-ils cru mais prétendaient n'avoir aucune piste alors qu'ils resserraient le filet autour de lui. Il l'espérait. Il espérait qu'ils finiraient par se remuer et par *l'arrêter.* Il mourait d'impatience de lire les titres des journaux ce jour-là.

Le Tueur des pistes arrêté.

Les journalistes ne tarderaient pas à lui donner un autre nom, c'était sûr.

Lightning (1).

Lightning à nouveau dans toute la presse.

Une rafale de vent secoua les branches de l'érable, faisant tomber une pluie dorée de feuilles. « Qu'est-ce qu'elle fiche ? » pensa-t-il. Quand elle sortirait, il la suivrait un bout de chemin et la coincerait dans la partie sombre de l'allée, avant la cour. Il y faisait noir, ce serait parfait. Pas question de refaire le coup de Corey McIntyre, ce serait trop facile pour les flics, ils le prendraient pour un fou. C'était bien la seule chose...

Une des portes de la bibliothèque s'ouvrit.

11

Les bras chargés de livres, Luella s'avança sur la dernière des marches larges et plates du perron. Elle semblait si frêle qu'il eut envie de s'approcher pour lui proposer son aide. Elle noua autour de son cou une

(1) L'éclair. *(N.d.T.)*

longue écharpe de laine, releva le col de son caban trop grand pour elle. Le vêtement appartenait sans doute à son frère, ou à quelqu'un de la famille engagé dans la marine – beaucoup de jeunes Noirs s'engageaient aujourd'hui. Il essaya de se rappeler s'il avait lu quelque chose sur son frère dans les articles qu'il avait rassemblés. Non, il ne s'en souvenait pas. Mais on oublie facilement. Lui, on l'avait oublié si facilement...

Elle descendait le perron.

Petite quinte de toux : elle avait sûrement un rhume. Mauvais pour une coureuse, elle devrait faire plus attention, elle était si frêle.

Elle passa devant l'arbre sans le voir.

Il attendit qu'elle eût une cinquantaine de mètres d'avance pour prendre son sillage. Heureusement, le bruit des feuilles mortes que le vent poussait dans l'allée couvrait celui de ses pas...

– Comment il s'appelle, déjà, ce bâtiment ? dit Ollie.

– Baxter, répondit Carella.

– Et où il est, le nom ? Comment on reconnaît un dortoir d'un autre ?

– D'après la fille, c'est le premier.

– Et la cour, où elle est ? Tout se ressemble, ici. Cette putain d'université a l'air d'un monastère.

– La voilà, dit Carella. Devant nous.

Elle avait traversé le cloître sans s'apercevoir qu'il la suivait. Devant elle s'étendait une partie d'allée éclairée à son extrémité gauche par un seul réverbère. Il y faisait sombre jusqu'à la cour, où se dressait un autre réverbère. Il la savait rapide, il devrait l'attraper avant qu'elle ne déguerpisse. Il attendit qu'elle soit passée sous le réverbère puis se lança, frappant l'asphalte de ses chaussures de coureur. Elle l'entendit mais il était trop tard. Au moment où elle commençait à se retourner, il sauta sur elle.

La surprise fut totale. Les yeux écarquillés, elle ouvrit

la bouche pour crier mais il lui plaqua une main sur les lèvres.

Elle le mordit, il retira sa main.

Le cri jaillit, brisant le silence de la nuit.

Ils avaient traversé la cour et s'engageaient dans l'allée lorsqu'ils entendirent le cri. Ollie dégaina son pistolet juste avant que Carella ne porte la main à son étui ; les deux hommes se mirent à courir.

Devant eux, deux silhouettes se battaient dans la pénombre : un homme essayant d'immobiliser une femme lui décochant coups de poing et ruades.

– Police ! cria Weeks avant de tirer en l'air.

L'homme se retourna. Carella crut un instant qu'il allait se servir de la fille comme d'un bouclier, en la tenant par-derrière, mais il la lâcha soudain et s'enfuit.

– La fille ! cria Carella à Ollie en se lançant à la poursuite de l'homme.

Le policier n'avait pas couru aussi vite depuis ses années de collège. La course n'était pas son sport favori, il préférait le base-ball. Il n'y avait qu'à la télévision que les flics couraient derrière un suspect à travers toute la ville.

L'homme était trop rapide pour lui.

Carella tira dans le noir. La flamme qui jaillit du canon et la détonation qui suivit – comme l'éclair et le tonnerre dans la nuit – coïncidèrent avec le début d'une averse aussi soudaine que forte, comme s'il avait ouvert une trappe quelque part là-haut en appuyant sur la détente. La pluie criblait l'allée et les arbres. Haletant, le cœur battant à tout rompre, Carella continuait à courir, mais il savait qu'il ne rattraperait pas Lytell – si c'était bien lui. L'homme était trop rapide pour lui.

Tout à coup, le policier vit devant lui la silhouette sombre glisser sur les feuilles humides, battre l'air des bras pour tenter de recouvrer l'équilibre. Lytell tomba sur le côté, heurta l'asphalte de l'épaule gauche. Il se relevait quand Carella arriva à sa hauteur.

– Police, fit l'inspecteur, hors d'haleine. Ne bougez pas.

– Vous avez mis le temps, dit Lytell en souriant.

Il pleuvait encore quand le représentant du district attorney arriva au 87e commissariat, vers six heures du matin. Weeks et Carella avaient déjà perquisitionné – avec un mandat cette fois – au domicile de Henry Lytell. Plusieurs objets qu'ils y avaient découverts se trouvaient sur une table, dans le bureau du lieutenant Byrnes, quand l'adjoint du D.A. y fit son entrée. Un sténographe nota les noms des personnes présentes – les inspecteurs Carella et Weeks, le D.A. adjoint Ralph Jenkins, le lieutenant –, inscrivit la date – vendredi 21 octobre – et l'heure – six heures cinq – de l'interrogatoire. Jenkins instruisit Lytell de ses droits, celui-ci déclara qu'il avait compris et ne souhaitait pas la présence d'un avocat. Jenkins commença l'interrogatoire.

Q. : Vos nom et prénoms, s'il vous plaît ?
R. : Henry Lewis Lytell.
Q. : Et votre adresse, Mr Ly...
R. : Vous me connaissez probablement sous le nom de Lytell Lightning. C'est comme cela que les journalistes m'appelaient.
Q. : Oui. Mr Lytell, puis-je avoir votre adresse ?
R. : 843, Holmes Street.
Q. : Ici, à Isola ?
R. : Oui, monsieur.
Q. : Vous travaillez, Mr Lytell ?
R. : Oui, monsieur.
Q. : Dans quelle branche ?
R. : Il faut comprendre que, fondamentalement, je suis *coureur*. C'est ce que je *suis*. La façon dont je gagne ma vie n'a rien à voir avec ce que je suis en réalité.
Q. : Comment gagnez-vous votre vie, Mr Lytell ?
R. : Je fais de la recherche.

Q. : Pour qui, quel genre de recherche ?
R. : Je suis indépendant. Je travaille pour les agences de publicité, les écrivains – pour quiconque ayant besoin d'information sur n'importe quel sujet.
Q. : Où travaillez-vous ?
R. : Chez moi. Je travaille dans mon appartement.
Q. : Vous fixez vous-même vos heures de travail, Mr Lytell ?
R. : Oui. C'est le seul avantage de ce travail : la liberté qu'il me donne. Pour faire d'autres choses. Je m'efforce de courir chaque jour au moins...
Q. : Mr Lytell, pouvez-vous me dire où vous étiez et ce que vous faisiez le soir du 6 octobre ? C'était un jeudi soir, il y a deux semaines.
R. : Oui, monsieur. J'étais en compagnie d'une étudiante de Ramsey. Membre de l'équipe de course à pied.
Q. : Son nom, s'il vous plaît ?
R. : Marcia Schaffer.
Q. : Quand vous dites que vous étiez en sa compagnie...
R. : Je me suis d'abord présenté à son appartement, en me faisant passer pour un nommé Corcy McIntyre, du magazine *Sports U.S.A.* Ensuite...
Q. : Vous avez déclaré être Corey McIntyre ?
R. : C'est exact.
Q. : Où aviez-vous trouvé ce nom ?
R. : Dans la liste des collaborateurs de la revue.
Q. : Et miss Schaffer vous a cru ?
R. : Je lui ai montré une carte de presse à ce nom.
Q. : Où vous l'étiez-vous procurée ?
R. : Je l'ai fabriquée moi-même. J'ai travaillé dans une agence de publicité il y a huit ou neuf ans, quand ma renommée commençait à baisser. J'ai beaucoup appris au service graphique, je sais faire ce genre de chose.
Q. : Quel genre de chose ?
R. : Fabriquer une carte qui aura l'air vraie. La faire plastifier.
Q. : Vous avez travaillé au service graphique d'une agence de publicité ?

R. : Non, mais je connaissais les dessinateurs, je traînais tout le temps chez eux. Moi je travaillais directement avec l'un des membres du service création, vous comprenez. Pour concevoir des campagnes liées au sport. C'est pour cela que j'avais été engagé : à cause de ma connaissance du sport.
Q. : Donc, si je comprends bien, vous travailliez dans une agence de publicité il y a huit ou neuf ans ?
R. : Oui.
Q. : Quand êtes-vous devenu chercheur indépendant, Mr Lytell ?
R. : Il y a trois ans.
Q. : Et c'est ce que vous faites depuis ?
R. : En réalité, je cours.
Q. : Mais pour gagner votre vie...
R. : Oui, je fais de la recherche.
Q. : Revenons au 6 octobre. Vous vous êtes présenté chez miss Schaffer comme un employé de *Sports U.S.A...*
R. : Un *journaliste.*
Q. : Un journaliste, oui. Et ensuite ?
R. : J'ai dit que je préparais un article sur les jeunes coureuses pleines de promesses.
Q. : Elle l'a cru ?
R. : Je connais tout de la course, je *suis* un coureur. Alors, bien sûr, je savais de quoi je parlais. Oui, elle m'a cru.
Q. : Et puis ?
R. : Je l'ai invitée à dîner, pour l'interviewer.
Q. : Avez-vous effectivement dîné avec miss Schaffer ce soir-là ?
R. : Oui. Dans un restaurant de fruits de mer, près de son appartement. Il y a beaucoup de bons restaurants dans le coin, nous avons pris le premier.
Q. : Quelle heure était-il, Mr Lytell ?
R. : Tôt. Six heures, je crois. Tôt.
Q. : Vous l'avez emmenée dîner à six heures ?
R. : Oui. Pour l'interviewer. Elle était emballée par mon idée.

Q. : Et ensuite ?
R. : Que voulez-vous que je vous dise ?
Q. : Ce que vous voudrez. Dites-moi ce qui s'est passé après le repas.
R. : Je l'ai tuée. Je l'ai déjà dit aux inspecteurs ici présents.
Q. : Où l'avez-vous tuée ?
R. : Dans mon appartement. Je lui avais proposé de terminer l'interview chez moi en buvant un cognac. Elle avait répondu qu'elle ne buvait pas d'alcool – elle s'entraînait, vous comprenez – mais qu'un Coca ou quelque chose de ce genre ferait l'affaire.
Q. : A quelle heure êtes-vous allés chez vous ?
R. : Vers sept heures et demie.
Q. : Et qu'est-il arrivé ?
R. : Elle a regardé un tableau que j'ai dans le salon – un tableau représentant un coureur. Je suis passé derrière elle et je lui ai fait un double nelson. J'ai pratiqué la lutte avant de m'intéresser à la course à pied. Il n'y a aucune comparaison, vous savez. Dans la lutte, on se bat à un contre un, on transpire, alors que dans la course...
Q. : Vous l'avez tuée avec un double nelson ?
R. : Oui. Je lui ai brisé la nuque.
Q. : Quelle heure était-il, Mr Lytell ?
R. : Un peu avant huit heures, je suppose.
Q. : Lieutenant Byrnes, le médecin légiste estime l'heure de la mort à sept heures environ, n'est-ce pas ?
R. (Byrnes) : Oui.
Q. : Mr Lytell, qu'avez-vous fait ensuite ?
R. : J'ai regardé la télévision.
Q. : Vous avez...
R. : En attendant que les rues soient désertes, pour pouvoir la porter à ma voiture. La corde se trouvait déjà dans le coffre, je l'y avais mise plus tôt.
Q. : Jusqu'à quelle heure avez-vous regardé la télévision ?
R. : Jusqu'à deux heures du matin.
Q. : Et puis ?

R. : Je l'ai portée à ma voiture. J'ai d'abord regardé par la fenêtre – mon salon donne sur la rue. Comme il n'y avait personne, je l'ai descendue. Je l'ai assise à l'avant. Elle avait l'air de dormir. Je veux dire, assise dans la voiture.
Q. : Ensuite ?
R. : Je l'ai conduite ici.
Q. : Vous voulez dire... ?
R. : Ici, dans ce quartier.
Q. : Pourquoi ici ?
R. : Je n'ai pas spécialement choisi, je cherchais un endroit désert. J'ai trouvé ce chantier bordé par des immeubles abandonnés, je me suis dit que ce serait un bon endroit.
Q. : Un bon endroit pour quoi faire ?
R. : Pour la pendre.
Q. : Pourquoi l'avez-vous pendue, Mr Lytell ?
R. : Cela me semblait un bon moyen.
Q. : Un bon moyen ?
R. : Oui.
Q. : De quoi faire ?
R. : Juste un bon moyen.
Q. : Mr Lytell... avez-vous aussi tué une jeune fille nommée Nancy Annunziato ?
R. : Oui, monsieur.
Q. : Pouvez-vous me donner des détails ?
R. : Ça s'est passé comme la première fois. Je lui ai dit que je travaillais pour *Sports U.S.A.*, je l'ai invitée à dîner, je...
Q. : Quand était-ce, Mr Lytell ?
R. : Le soir du 13 octobre. Nous nous sommes retrouvés *Chez Marino*, un restaurant du centre, très agréable. Elle habitait à Calm's Point, vous voyez, alors nous nous étions donné rendez-vous au restaurant à huit heures. J'avais réservé pour huit heures. Je l'ai interviewée pendant le repas, puis nous sommes allés chez moi, comme avec l'autre, Marcia Schaffer. Nous avons ba-

vardé – elle aimait beaucoup parler, Nancy – et puis je... eh bien... vous savez.
Q. : Vous l'avez tuée.
R. : Oui. Encore avec un double nelson.
Q. : Quelle heure était-il ?
R. : Dix heures et demie-onze heures.
Q. : Lieutenant Byrnes, cela correspond-il à l'estimation de l'heure de la mort ?
R. (Byrnes) : Oui.
Q. : Qu'avez-vous fait ensuite, Mr Lytell ?
R. : Comme pour l'autre. Je l'ai portée à la voiture, j'ai cherché un endroit désert où la pendre. Je ne voulais pas recommencer ici, j'avais déjà essayé d'aider les policiers du coin...
Q. : De les aider ?
R. : Oui. En leur envoyant le sac de Marcia, afin qu'ils puissent l'identifier.
Q. : Pourquoi avez-vous fait cela ?
R. : Pour les aider.
Q. : Mais pourquoi vouliez-vous les aider ?
R. : Comme ça. Ils avaient l'air... excusez-moi, messieurs... ils avaient l'air de patauger, vous comprenez. J'ai préféré tenter ma chance avec un autre commissariat.
Q. : Lieutenant Byrnes, où a-t-on trouvé la deuxième victime ?
R. (Byrnes) : A West Riverhead, dans le secteur du 101e.
Q. : C'est là que vous avez emmené Nancy Annunziato, Mr Lytell ?
R. : Je crois. Je ne connais pas les secteurs et les numéros des commissariats, mais c'était à Riverhead, là où il y a tous ces bâtiments incendiés.
Q. : West Riverhead.
R. : Je crois.
Q. : Mr Lytell, avez-vous pendu le cadavre de Nancy Annunziato à un réverbère de West Riverhead ?
R. : Oui.
Q. : Quelle heure était-il ?

R. : Vers le milieu de la nuit.
Q. : Pouvez-vous me donner une heure approximative ?
R. : Trois heures du matin, peut-être.
Q. : Lieutenant Byrnes, savez-vous à quelle heure le 101e commissariat a été alerté ?
R. (Byrnes) : Steve ?
R. (Carella) : L'inspecteur Broughan a reçu un appel à six heures quatre.
R. (Lytell) : J'ai laissé son portefeuille sous le réverbère.
Q. : Pour quelle raison ?
R. : Pour les aider. J'espérais que les flics de ce secteur seraient plus malins que ceux d'ici – excusez-moi.
Q. : Pourquoi espériez-vous qu'ils seraient plus malins ?
R. : Vous le savez bien.
Q. : Non, je l'ignore. Pouvez-vous me l'expliquer ?
R. : Je voulais les aider un petit peu, vous comprenez ?
Q. : Pourquoi souriez-vous, Mr Lytell ?
R. : Je ne sais pas.
Q. : Vous vous rendez compte que vous souriez ?
R. : Oui, je crois.
Q. : Parlez-moi de Darcy Welles. Vous l'avez tuée aussi ?
R. : Oui.
Q. : Quand ?
R. : Mercredi soir.
Q. : Le 19 octobre ?
R. : Je crois.
Q. : Regardez sur ce calendrier à mercredi dernier. Etait-ce le 19 octobre ?
R. : Oui, le 19.
Q. : Pouvez-vous m'en parler ?
R. : Ecoutez, je peux continuer toute la nuit, mais l'important...
Q. : L'important, Mr Lytell ?
R. : Je l'ai tuée de la même manière que les autres. Exactement. Restaurant, interview... enfin, non, pas exactement. Je n'ai pas emmené Darcy chez moi, j'avais peur que quelqu'un me voie et...

Q. : Mais vous venez de nous dire que vous vouliez aider la police, que...
R. : Oui, mais je ne voulais pas que mes voisins me prennent pour un violeur de jeunes filles ou quelque chose de ce genre. Alors je l'ai emmenée à Bridge Street Park.
Q. : Et vous l'avez tuée là-bas ?
R. : Oui.
Q. : Encore un double nelson ?
R. : Oui.
Q. : Et où l'avez-vous emmenée ensuite, Mr Lytell ?
R. : A Diamondback. J'ai eu vraiment peur, là-bas, je peux vous le dire. Il n'y a que des Noirs, dans le coin, vous savez. Mais je l'ai pendue au réverbère sans problème.
Q. : Quelle heure était-il, Mr Lytell ?
R. : Oh ! je ne sais pas. Onze heures moins vingt, onze heures moins le quart.
Q. : Mr Lytell, avez-vous tenté hier soir d'assassiner une jeune fille nommée Luella Scott ?
R. : Oui.
Q. : Si vous aviez réussi, l'auriez-vous également pendue ?
R. : Oui, j'en avais l'intention.
Q. : Pourquoi ?
R. : Je ne comprends pas votre question.
Q. : Pourquoi avez-vous pendu ces jeunes filles, Mr Lytell ? Dans quel but ?
R. : Pour qu'elles soient visibles.
Q. : Visibles ?
R. : Qu'elles attirent l'attention.
Q. : Pourquoi vouliez-vous qu'elles attirent l'attention ?
R. : Vous le savez bien.
Q. : Je n'en sais rien.
R. : Pour que tout le monde comprenne.
Q. : Comprenne quoi ?
R. : Pour les jeunes filles.
Q. : Quoi, les jeunes filles ?
R. : Qu'elles avaient été tuées par la même personne.

Q. : Vous.
R. : Moi.
Q. : Vous vouliez que tout le monde sache que c'était *vous* qui les aviez assassinées ?
R. : Non, non.
Q. : Alors, que vouliez-vous que tout le monde sache ?
R. : Je n'en sais rien, bon sang !
Q. : Mr Lytell, j'essaie de comprendre...
R. : Qu'est-ce que vous ne comprenez pas, nom d'un chien ? Je vous ai dit...
Q. : Oui, mais pendre ces filles...
R. : Bon Dieu, je ne vois pas comment je pourrais être plus clair.
Q. : Vous avez dit que vous les aviez pendues pour qu'elles attirent l'attention.
R. : Oui.
Q. : ... que tout le monde comprenne qu'elles avaient été tuées par la même personne.
R. : Oui.
Q. : *Pourquoi*, Mr Lytell ?
R. : C'est terminé ? Parce que si c'est...
Q. : Nous vous avons averti que vous pouviez mettre fin à l'interrogatoire quand vous le désirez. Il vous suffit de déclarer que vous ne voulez plus répondre à aucune question.
R. : Je veux bien répondre à vos questions mais vous ne posez pas les *bonnes*.
Q. : Quelles questions aimeriez-vous que je vous pose, Mr Lytell ?
R. : Par exemple, pourquoi autant d'*or* ? Cela ne vous intéresse pas du tout ?
Q. : Vous faites allusion aux médailles que les inspecteurs Weeks et Carella ont trouvées dans votre appartement ?
R. : Je ne sais pas qui les a trouvées.
Q. : Mais elles sont à vous, n'est-ce pas ?
R. : A qui voulez-vous qu'elles soient ?
Q. : Ce sont des médailles olympiques, non ?

R. : Des médailles d'*or*. Ce n'est pas du bronze, que vous regardez là, monsieur.
Q. : Vous avez gagné ces médailles, Mr Lytell ?
R. : Allons, ne soyez pas ridicule. Vous viviez sur la planète Mars ?
Q. : Pardon ?
R. : Quel âge avez-vous ?
Q. : Trente-sept ans.
R. : Donc il y a quinze ans, vous en aviez vingt-deux. Vous ne regardiez pas la télé ? Vous ignoriez ce qui se passait dans le monde ?
Q. : Vous avez gagné ces médailles il y a quinze ans, c'est cela que vous voulez dire ?
R. : Ecoutez-le ! Trois médailles d'or, ce n'est rien pour lui !
Q. : Je ne m'intéresse pas beaucoup au sport, Mr Lytell. Pouvez-vous nous parler de ces médailles ?
R. : Les gens oublient, c'est cela l'ennui. Trois médailles d'or ! Je suis passé à l'émission de Johnny Carson, bon Dieu ! Lytell Lightning, c'est comme ça qu'il m'a présenté. Tout le monde m'appelait comme ça. J'avais ma photo sur la couverture de tous les grands magazines de sport du pays. Je ne pouvais aller nulle part sans que les gens m'arrêtent dans la rue : « Salut, Lightning », « Comment ça va, Lightning ? » J'étais *célèbre*.

» Quand j'ai gagné les trois médailles d'or – c'était il y a quinze ans – j'explosais littéralement au départ. Boum ! L'éclair et le tonnerre. Je jaillissais des blocs et rien ne m'arrêtait. *Trois* médailles d'or, bon Dieu ! Le cent, le deux cents et le relais. Dans le relais, j'étais le dernier coureur et au moment du passage, nous avions cinq mètres de retard sur l'Italie. Jimmy arrivait à toute allure mais j'étais prêt à exploser dès qu'il me passerait le témoin. Boum ! J'ai couru le dernier cent mètres en huit six ! Incroyable ! J'ai remonté l'Italien et j'ai gagné nettement détaché. Bon sang, je gagnais tout le temps. Citez une épreuve, je l'ai remportée : au lycée, à l'université, aux championnats des Etats-Unis, aux jeux Olympiques – j'ai tout gagné.

» Vous savez ce que c'est, gagner ? être le meilleur ? Vous en avez une idée ? Quand vous vous alignez au départ, vous ne voulez pas seulement *battre* l'autre, vous voulez l'*assassiner*. Le laisser sur place, lui faire vomir tripes et boyaux derrière vous. Vous voulez qu'il sache qu'il a trouvé son maître, qu'il a *perdu* ! Vous vous placez sur la ligne et le monde se réduit à la piste, le monde entier n'est plus qu'une cendrée, et dans votre tête, vous filez déjà comme un éclair, vous cassez déjà le fil, même si la course n'a pas encore commencé. Vous sautillez sur place, tap-tap-tap, vous entendez le coup de sifflet du starter, vous continuez à sautiller en aspirant de grandes bouffées d'oxygène. Tout en vous est prêt à jaillir, à exploser...

» Mais les gens oublient. Ils oublient ce que vous avez fait, qui vous étiez. Avec la publicité, l'argent coulait à flots : toutes les grandes marques voulaient que Lytell Lightning fasse la promotion de leurs produits. J'avais un contrat avec William Morris – vous en avez entendu parler ? C'est une agence de New York et de Los Angeles qui a des succursales dans le monde entier. Elle allait faire de moi une vedette de cinéma ! J'en prenais le chemin, d'ailleurs, avec toutes ces pubs : on ne pouvait pas mettre la télé en marche sans me voir apparaître sur l'écran pour vanter tel ou tel produit. "Vous pensez que je suis rapide ? Attendez de voir avec quelle rapidité cet appareil vous rase." Tout, du jus d'orange aux tablettes de vitamines, je passais sans arrêt à la télé. Et puis... d'un seul coup, fini, plus de propositions. On m'a expliqué que j'étais usé, que les gens avaient trop l'habitude de voir mon visage sur l'écran. Du jour au lendemain, vous n'êtes plus une vedette de cinéma, pas même un camelot de télévision. Vous êtes juste Henry Lewis Lytell, et personne ne vous connaît.

» Les gens oublient.

» Vous... avez envie de leur rafraîchir la mémoire, vous comprenez ? De leur rappeler qui vous étiez.
Q. : Est-ce la raison pour laquelle vous avez commis ces meurtres, Mr Lytell ?
R. : Non, non.
Q. : Est-ce pour cela que vous avez pendu ces jeunes femmes ? Pour rappeler...
R. : Non, non et non.
Q. : ... rappeler aux gens que vous étiez toujours là ?
R. : Je suis le plus rapide du monde !
Q. : C'est pour cela ?
R. : Le plus rapide.

Jenkins prit une des médailles d'or posées sur le bureau du lieutenant Byrnes. La considéra pensivement. Puis il regarda à nouveau Lytell, qui semblait perdu dans un rêve et entendait peut-être rugir la foule tandis qu'il filait comme un éclair le long de la piste.

– Avez-vous quelque chose à ajouter ? demanda le district attorney adjoint.

Lytell secoua la tête.

– Quelque chose que vous voulez changer ou supprimer ?

Lytell secoua à nouveau la tête.

– Alors, c'est terminé, dit Jenkins en regardant le sténographe.

A onze heures, ce matin-là, Eileen téléphona à Annie Rawles pour lui demander son avis : devait-elle sortir ou rester à la maison ce soir ? La pluie, qui continuait à tomber, découragerait peut-être leur homme. Annie pensait qu'il n'essaierait pas de pénétrer à nouveau dans l'appartement. Il savait sans doute que le dernier viol avait été signalé à la police et ne pouvait courir le risque de se fourrer dans une souricière. Selon elle, il tenterait de coincer Eileen dans la rue et n'opterait pour l'appartement qu'en dernier ressort.

– Donc vous voulez que je sorte ? conclut Eileen. Sous la flotte.

– Ça devrait s'aggraver ce soir. Pour le moment, c'est juste un bon petit crachin.

– Je ne vois pas ce qu'il y a de bon dans un petit crachin, grommela Eileen. Où voulez-vous que j'aille ? encore au cinéma ? J'y suis allée mercredi soir.

– Dans une discothèque ?

– Pas le genre de Mary.

– Cela pourrait lui paraître bizarre, deux fois au cinéma dans la semaine. Pourquoi pas au restaurant ? S'il a autant envie de vous avoir que nous le pensons, il tentera peut-être le coup dès qu'il fera sombre.

– Vous vous êtes déjà fait violer l'estomac plein ?

Annie Rawles éclata de rire.

– Rappelez-moi plus tard pour m'informer de vos plans, d'accord ? dit-elle.

– D'accord.

– Autre chose ?

– Oui. Vous savez ce que c'est que l'A.C.I. ?

– On joue aux devinettes, c'est ça ?

– Non. Mary a versé trois dons à l'A.C.I. cette année, d'après les talons de son chéquier. Deux cents dollars au total. Je me demande si ce n'est pas une organisation de cinglés...

– Oui, je vois. Je vais interroger l'ordinateur.

– L'A.C.I. a un bureau dans cette ville, précisa Eileen. Rappelez-moi, voulez-vous ? Je suis curieuse.

Annie Rawles rappela un peu avant treize heures et annonça :

– La liste est longue. Vous voulez que je vous la lise quand même ?

– Je n'ai rien à faire avant six heures et demie.

– Ah ? qu'est-ce que vous avez décidé, finalement ?

– Je dîne tôt à l'*Ocho Rios*, un restaurant mexicain situé à trois cents mètres d'ici.

– Vous aimez la cuisine mexicaine ?

– J'aime que le restaurant soit à trois cents mètres de l'appartement. Je pourrai y aller à pied, un taxi lui ferait peut-être peur. Franchement, je préfère la rue à l'appartement. J'aurai plus de place dehors pour me défendre.

– C'est vous le patron.

– Je reconnaîtrai le terrain cet après-midi. Je ne veux pas le voir surgir d'une ruelle dont j'ignorais l'existence.

– Bon, dit Annie. Voici la liste des organisations ayant A.C.I. pour sigle. Il y en a un tas, ne prenez pas la peine de les noter. Nous avons – vous y êtes ? – nous avons une Association des chimistes industriels, une autre de culture israélite, une troisième des combattants et invalides ; nous avons l'Amicale des chasseurs indépendants, celle des cheminots inventeurs ; nous avons les Artistes pour la culture dans l'industrie, les...

– Donnez-moi tout de suite celle qui a un bureau dans Hall Avenue, interrompit Eileen.

– Je la gardais pour la fin. C'est l'Association contre l'infanticide.

– Contre l'infanticide ?

– Oui. Au 832, Hall Avenue.

– Qu'est-ce que c'est ? un mouvement contre l'avortement ?

– Ce n'est pas ce qu'ils m'ont répondu quand je leur ai téléphoné. Ils disent qu'ils font seulement partie du mouvement de Défense de la vie.

– M'oui. Aucun rapport avec Laissez-les vivre ?

– Apparemment non. L'A.C.I. est une organisation purement locale.

Après un long silence, Eileen demanda :

– Vous pensez que d'autres victimes auraient fait des dons à cette association ?

– Je dois parler à chacune d'elles cet après-midi, en allant les voir ou en leur téléphonant. S'il s'avère que d'autres l'ont fait...

– Oui, c'est peut-être une piste.

– Peut-être même une piste sérieuse. Toutes les victimes sont catholiques, vous savez, et les catholiques ne sont pas censés recourir à des moyens artificiels de contraception.

– Oui, juste la méthode naturelle. Mais pas tous les catholiques.

– La plupart, je crois. Vous êtes catholique ?

– Avec un nom comme Burke, qu'est-ce que vous voulez que je sois ?

– Et vous utilisez quoi ?

– La pilule.

– Moi aussi.

– Quelle est votre idée, Annie ?

– Je ne sais pas encore, je vais d'abord interroger les autres victimes. Si elles font toutes partie des généreuses donatrices de l'A.C.I...

– Oui, murmura Eileen.

Après un long silence, Annie Rawles reprit :

– J'espère presque que ce n'est pas le cas.

– Pourquoi ?

– Parce que ce serait vraiment trop morbide.

Teddy avait rendez-vous au cabinet juridique à quinze heures mais elle arriva vingt minutes plus tôt et attendit en bas qu'il soit trois heures moins cinq pour ne pas paraître trop désireuse d'obtenir la place. Pourtant, elle le voulait, cet emploi, il semblait parfait pour elle. Elle avait revêtu une tenue qu'elle jugeait discrète sans être terne : tailleur élégant sur une blouse à col-cravate, bas assortis au tissu beige du tailleur, chaussures marron à talons Louis XV. Il faisait étouffant dans le hall de l'immeuble après le crachin de la rue et elle ôta son imperméable avant de prendre l'ascenseur. A quinze heures précises, elle se présenta à la réceptionniste du cabinet Franklin, Logan, Gibson & Knowles et montra la lettre qu'elle avait reçue de Phillip Logan. L'employée répondit que Mr Logan la recevrait dans quelques instants. A quinze heures dix, la réceptionniste décrocha le téléphone – il devait avoir bourdonné sans que Teddy l'entende – puis annonça que Mr Logan l'attendait. Teddy lut la phrase sur les lèvres de la fille, hocha la tête.

– Première porte à droite dans le couloir, précisa l'employée.

Teddy frappa, attendit le temps approximatif que mettrait Logan pour dire « Entrez », puis tourna la poignée de la porte et pénétra dans le bureau. C'était une pièce spacieuse meublée de plusieurs fauteuils, d'une table basse, d'un grand bureau, et tapissée de livres sur trois de ses murs. Le quatrième était remplacé par une baie vitrée offrant une vue splendide des tours de la ville. La pluie glissait sur les panneaux de verre ; une lampe à abat-jour nimbait de jaune le dessus du bureau.

Logan se leva au moment où elle entrait dans la pièce. Grand, les cheveux grisonnants (Teddy lui donnait la cinquantaine), les yeux bleu foncé, il portait un costume d'un ton légèrement plus sombre que ses yeux, une chemise blanche et une cravate rayée.

– Ah ! Miss Carella, dit-il. Merci d'être venue. Asseyez-vous donc.

Elle prit place dans un des fauteuils disposés face au bureau et il se rassit en souriant. Il avait un regard chaleureux, amical.

– Je suppose que vous pouvez... euh... lire sur mes lèvres, reprit-il. Votre lettre...

Teddy acquiesça de la tête.

– Vous avez eu la franchise de mentionner immédiatement votre infirmité. Dans votre lettre, je veux dire. C'est d'une grande honnêteté.

Elle hocha à nouveau la tête, bien que le mot « infirmité » lui restât sur le cœur.

– Vous êtes... euh... Vous comprenez bien ce que je dis, n'est-ce pas ?

Teddy fit signe que oui et montra le bloc se trouvant sur le bureau.

– Quoi ? fit Logan. Oh ! bien sûr. Comme je suis bête !

Il poussa vers elle le bloc et un stylo et elle écrivit : *Je vous comprends parfaitement.* Il récupéra le bloc, lut le message et dit :

– Merveilleux. Euh... Nous pourrions peut-être rapprocher votre fauteuil du mien, pour que nous n'ayons pas à nous repasser le bloc sans arrêt.

Il se leva prestement, Teddy l'imita et il tira le fauteuil contre le côté gauche du bureau. Elle se rassit, posa son imperméable sur ses genoux.

– Là, c'est mieux, déclara Logan. Nous pourrons parler plus commodément. Oh ! excusez-moi, j'avais la tête tournée de l'autre côté, non ? Vous m'avez compris quand même ?

Teddy acquiesça en souriant.

– C'est nouveau pour moi, vous comprenez. Bon, par où commencer ? Pour cet emploi, nous voulons une excellente dactylo... Je vois dans votre lettre que vous tapez soixante mots à la minute...

Je suis peut-être un peu rouillée, écrivit Teddy sur le bloc.

– Cela reviendra, je suppose, dit Logan. C'est comme la bicyclette, non ?

Elle approuva d'un signe de tête, bien qu'elle ne pensât pas que taper à la machine eût quelque chose à voir avec le vélo.

– Et vous prenez en sténo...

Teddy acquiesça de nouveau.

– Classer les dossiers, c'est une affaire d'habitude, je suis sûr que vous vous débrouillerez... Nous aimons avoir du personnel agréable à regarder, dit Logan avec un sourire. Vous êtes très belle, miss Carella.

Elle hocha la tête pour le remercier – d'un air modeste, elle l'espérait – puis griffonna : *Mrs Carella*.

– Bien sûr, excusez-moi. Theodora, n'est-ce pas ?

La plupart des gens m'appellent Teddy, écrivit-elle.

– Teddy ? C'est charmant. Teddy. Cela vous va bien. Vous êtes exceptionnellement belle, Teddy. Je présume qu'on vous l'a dit des milliers de fois...

Elle fit non de la tête.

– ... mais on ne se lasse pas des compliments, n'est-ce

pas ? Exceptionnellement belle, répéta Logan en la dévisageant avec une insistance gênante.

Teddy baissa les yeux vers le bloc. Lorsqu'elle releva la tête, il la fixait encore et elle changea de position dans son fauteuil.

– Bon. L'horaire est de neuf à dix-sept heures, pouvez-vous commencer lundi matin ? ou vous faudra-t-il quelques jours pour mettre vos affaires en ordre ?

Teddy ouvrit de grands yeux : jamais elle n'aurait pensé que ce serait aussi simple. Elle était « sans voix » – au pied de la lettre, bien sûr, mais aussi parce qu'elle avait l'esprit paralysé, totalement vide.

– Vous désirez bien cet emploi ? demanda Logan en souriant à nouveau.

« Oh ! oui, pensa-t-elle, *oui* ! » Elle acquiesça, rayonnante de bonheur, et se mit machinalement à remuer les mains pour exprimer sa joie mais les laissa retomber aussitôt lorsqu'elle se rappela qu'il ne la comprendrait pas.

– Lundi matin vous irait ?

Teddy hocha la tête.

– Parfait, dit Logan en se penchant vers elle. Je suis sûr que nous nous accorderons très bien.

Soudain, sans le moindre avertissement, il glissa la main sous la jupe de la jeune femme. Elle demeura assise, les yeux écarquillés, trop abasourdie pour pouvoir bouger. Les doigts de Logan lui pressèrent la cuisse.

– Vous ne croyez pas, miss Car... ?

Elle le gifla de toutes ses forces, se dressa d'un bond et s'avança vers lui, la main levée pour frapper à nouveau. Il se frottait la joue, l'air vexé et un peu ahuri. Des mots jaillirent en elle, des mots qu'elle ne pouvait prononcer. Tremblante de fureur, elle gardait le bras levé.

– Eh bien, voilà, dit-il en souriant.

Les larmes aux yeux, elle détournait la tête quand elle vit d'autres mots se former sur ses lèvres.

– Vous venez d'être renvoyée, pauvre idiote. Allez faire la carpe ailleurs.

Ce dernier mot la blessa plus qu'il ne pouvait le penser, il s'enfonça en elle comme un poignard.

Elle pleurait encore lorsqu'elle sortit de l'immeuble, sous la pluie.

Annie Rawles n'était pas parvenue à joindre trois des victimes mais les cinq femmes auxquelles elle avait parlé au téléphone lui avaient répondu qu'elles avaient effectivement fait des dons à l'A.C.I. Elle passa le reste de l'après-midi à essayer de voir les trois autres victimes. Deux d'entre elles n'étaient toujours pas à leur domicile quand elle s'y présenta, mais Angela Ferrari, qui se trouvait chez elle, l'informa qu'elle soutenait non seulement l'A.C.I. mais également Laissez-les vivre.

Il était presque dix-huit heures quand Annie sonna à la porte de Janet Reilly, la victime la plus récente – et la plus jeune puisqu'elle n'avait que dix-neuf ans. Etudiante, elle habitait chez ses parents et venait de rentrer quand l'inspectrice arriva. Les parents ne parurent pas ravis de voir Annie. Ils travaillaient tous deux et venaient à peine de rentrer eux aussi ; ils n'avaient nulle envie de répondre à nouveau aux questions d'un flic de la Brigade des viols. Leur fille avait été violée une première fois le 13 septembre et ils pensaient que le malheur l'avait assez accablée pour toute une vie, mais elle avait été à nouveau agressée le 11 octobre. Elle vivait à présent dans la terreur et ils ne voulaient plus que la police la tourmente avec ses questions. Ils demandaient simplement qu'on les laisse tranquilles. Ils faillirent fermer la porte au nez d'Annie Rawles et elle dut leur promettre que cette question serait la dernière.

Janet Reilly y répondit affirmativement.

Elle avait effectivement fait un petit don à une organisation appelée l'A.C.I.

Annie quitta les Reilly à six heures dix. De la cabine du coin de la rue, elle téléphona à Vivienne Chabrun, la seule maintenant à qui elle n'avait pas encore parlé. Toujours pas de réponse. Mais l'inspectrice savait déjà que huit victimes sur neuf avaient soutenu financièrement l'A.C.I. et elle jugea bon d'en informer Eileen. Elle glissa à nouveau dans la fente de l'appareil la pièce qu'elle avait récupérée, composa le numéro de l'appartement de Mary Hollings. Elle laissa sonner dix fois, n'obtint pas de réponse.

Eileen était déjà partie dîner.

Un musicien passait de table en table en grattant sa guitare et en chantant des airs mexicains. En arrivant près d'Eileen, il se mit à jouer *Cielito Lindo,* ce qui témoignait d'un solide optimisme : le ciel était lourd et menaçant quand l'inspectrice était entrée au restaurant. La pluie avait cessé vers seize heures, mais des nuages noirs avaient commencé à apparaître vers la fin de l'après-midi. Lorsque Eileen avait quitté l'appartement, à six heures et quart, le tonnerre grondait déjà au loin, de l'autre côté du fleuve, dans l'Etat voisin.

La pendule du restaurant indiquait sept heures vingt et la femme flic en était au café quand le premier éclair illumina la vitrine donnant sur la rue. Le coup de tonnerre assourdissant qui suivit la fit sursauter, bien qu'elle eût rentré la tête dans les épaules en prévision. La pluie se mit à tomber avec une violence encore renforcée par le vent, tambourinant contre la vitre, inondant le trottoir. Eileen alluma une cigarette qu'elle fuma en finissant son café. Il était presque sept heures et demie lorsqu'elle régla l'addition et alla récupérer l'imperméable et le parapluie qu'elle avait laissés au vestiaire.

L'imperméable était celui de Mary et il la serrait un peu mais elle avait pensé que l'homme le reconnaîtrait peut-être. Cela l'aiderait à la suivre si la pluie rendait la visibilité mauvaise. Elle ne voulait pas *le* rater parce qu'il avait du mal à *la* voir. Le parapluie, qui appartenait aussi à Mary Hollings, était un joli petit objet plus décoratif que protecteur, en particulier sous une pluie battante. En revanche, les bottes en caoutchouc aux bords évasés étaient les siennes. Elle les avait choisies précisément parce qu'elles étaient évasées et qu'elle pouvait glisser dans l'une d'elles un étui contenant un automatique Browning 380, son arme de réserve. L'autre, le 38 Special, se trouvait dans un sac qu'elle portait en bretelle à l'épaule gauche pour pouvoir dégainer facilement de la main droite.

L'inspectrice donna un dollar de pourboire à la fille du vestiaire (et se demanda si ce n'était pas trop), enfila l'imperméable, passa le sac à son épaule et se dirigea vers la sortie. Un éclair zébra le ciel au moment où elle poussait une des portes en verre et elle recula d'un pas, attendit que le roulement du tonnerre s'atténue pour se risquer au-dehors.

Lorsqu'elle ouvrit le parapluie, une rafale de vent faillit le lui arracher des mains. Elle le serra plus fort et, abritant son visage et ses épaules, marcha vers le coin de la rue. L'itinéraire qu'elle s'était tracé dans l'après-midi la conduirait à une avenue brillamment éclairée – déserte maintenant à cause de l'orage – puis elle regagnerait l'appartement de Mary par des rues plus sombres.

Eileen regretta soudain de n'avoir pas demandé de renforts.

C'était idiot.

En même temps, si elle avait placé des renforts – disons sur le trottoir d'en face : une femme agent à cinquante mètres devant, une autre à cinquante mètres derrière –, il les aurait sûrement repérées. Non, c'était mieux sans renforts.

Elle respira profondément en tournant dans l'avenue.

Deux cents longs mètres à franchir, les occasions ne manqueraient pas au violeur.

La pluie tombait dans ses bottes évasées et elle sentait dans celle de droite le métal froid du pistolet contre le nylon des collants. Elle portait des panties *sous* ses collants – drôle de protection contre un couteau, pensa-t-elle. Il aurait tôt fait de lui déchirer sa pauvre ceinture de chasteté. Elle tenait à présent le parapluie à deux mains pour empêcher le vent de l'emporter et se demandait si elle ne ferait pas mieux de le jeter, de plonger la main dans son sac pour saisir la crosse du 38. *S'il sort son couteau, ne posez pas de questions, descendez-le,* avait recommandé Annie. Conseil superflu.

Bientôt une ruelle sur sa droite. Une bande étroite entre deux immeubles, encombrée de poubelles lorsque Eileen avait reconnu les lieux, dans l'après-midi. *Trop* étroite ? L'homme ne voulait pas la faire *danser* mais la *violer,* et la ruelle ne semblait pas assez large pour cela. Jamais fait violer sur une poubelle ? *Ne posez pas de questions, descendez-le.* Après la ruelle, une entrée d'immeuble sombre. De la lumière pour la suivante et celle d'après. Un réverbère au coin. Le ciel soudain déchiré par un éclair, le fracas du tonnerre dans la nuit. Un coup de vent retourna le parapluie qu'Eileen jeta dans une poubelle au coin de la rue. Sa main trouva la crosse du Special dans le sac.

Elle traversa la rue.

Sur le trottoir d'en face, un autre réverbère.

Au-delà, l'obscurité.

Bientôt une autre ruelle, elle le savait. Plus large que la première, le passage pour une voiture, au moins. L'endroit idéal pour danser le tango, plein de place. Sa main serra la crosse du pistolet. Rien. Personne en vue dans la ruelle, pas de bruits de pas derrière elle après son passage. Devant, des bâtiments éclairés, l'air chauds et intimes sous la pluie. Une autre ruelle avant l'immeuble de Mary. Et si elles s'étaient trompées ? s'il n'avait pas l'intention d'agir ce soir ? Elle continuait à marcher, la main sur le 38. Elle évita une flaque ; un nouvel éclair la fit cligner des yeux. Elle passa devant la dernière ruelle, large et sombre, bordée de poubelles. Sur l'une d'elles, un chat décharné et trempé tendait le cou pour voir tomber la pluie. « Il aurait détalé s'il y avait eu quelqu'un, non ? » se dit Eileen. Elle passait devant la ruelle quand l'homme l'empoigna.

Il l'empoigna par-derrière, lui serrant le bras gauche autour du cou, et la déséquilibra. Elle tomba contre lui, la main tenant le pistolet déjà à moitié hors du sac. Avec un miaulement aigu, le chat sauta de sa poubelle et fila sous la pluie.

– Salut, Mary, murmura-t-il.

Elle sortit l'arme du sac.

– C'est un couteau, Mary, dit-il en levant brusquement la main droite.

Elle sentit la pointe de la lame contre ses côtes, juste sous le cœur.

– Laisse tomber ton pistolet, Mary, ordonna-t-il. Tu l'as encore, hein ? C'est le même que la dernière fois. Eh ben, laisse-le tomber par terre, Mary. Gentiment.

Il appuya sur le couteau dont la pointe traversa le léger imperméable, le fin tissu de la blouse et lui piqua les côtes. De son bras gauche, il continuait à lui serrer le cou, le coinçant au creux du coude. Eileen avait son arme à la main, mais l'homme était derrière elle, et la pression de la pointe du couteau se faisait plus forte.

– Lâche ! fit-il d'un ton impatient.

Eileen obéit, l'arme tomba par terre avec un bruit métallique. Un éclair déchira la nuit, un coup de tonnerre fracassant retentit. Il la tira dans la ruelle, vers l'obscurité, derrière les poubelles, jusqu'à une plateforme de chargement fixée dans le mur à un mètre du sol. Il la jeta dessus et la main d'Eileen se porta immédiatement à sa botte droite, saisit la crosse du Browning.

– Ne me force pas à te piquer, dit-il.

L'inspectrice sortit l'arme de son étui.

Elle levait le bras pour se mettre en position de tir quand il lui lacéra le visage.

Elle lâcha aussitôt le pistolet, porta la main à sa joue où un feu soudain avait tracé un sillon. Elle sentit sous sa main quelque chose d'humide, pensa d'abord à la pluie, mais le liquide était épais et collant : c'était du sang. Il lui avait balafré la joue, elle saignait ! Tout à coup, elle fut envahie par une peur qu'elle n'avait jamais éprouvée auparavant.

– A la bonne heure, marmonna-t-il.

Il y eut un nouvel éclair, suivi d'un coup de tonnerre. Le couteau était à présent sous sa jupe, elle n'osait plus bouger. De la pointe, l'homme piquait le nylon des collants, le soulevait. Eileen se recroquevilla sur elle-même en pensant qu'il allait la blesser là où elle était infiniment vulnérable. Il glissa la lame sous le nylon, tira. Les collants se fendirent avec un bruissement et l'homme éclata de rire en découvrant qu'elle portait des panties.

– On s'attendait à un viol ? demanda-t-il sans cesser de rire.

Il lacéra aussi les panties, exposant Eileen au froid de la nuit, les jambes écartées et tremblantes, le visage mouillé de pluie et de sang, la joue brûlante à l'endroit de la blessure. Ses yeux s'agrandirent sous l'effet de la terreur quand il plaça le plat de la lame contre son vagin et demanda :

– Tu veux que je te pique là aussi, Mary ?

Elle secoua la tête. *Non, je vous en supplie.* Elle bredouilla des mots indistincts puis parvint enfin à dire :

– Non, je vous en supplie.

Il se glissa entre ses jambes, replaça le couteau contre sa gorge.

– Je vous en prie, murmura Eileen. Ne me coupez plus. Je vous en prie.

– Tu préfères que je te baise ?

Non ! pensa-t-elle, mais elle répéta :

– Ne me coupez plus.

– Tu préfères te faire baiser, hein, Mary ?

Non ! pensa-t-elle.

– Oui, répondit-elle.

Ne me coupez pas ! implora-t-elle silencieusement.

– Dis-le, Mary.

– Ne me coupez pas.

– Dis-le, Mary !

– Je préfère... me faire baiser.

– Tu veux un bébé de moi, hein, Mary ?

Mon Dieu, non !

– Oui, balbutia Eileen. Je veux un bébé de toi.

– Tiens, mon œil ! s'esclaffa-t-il.

Elle connaissait tous les moyens de défense, les ongles dans les yeux, par exemple, pour aveugler ce salaud. Elle savait que s'il exigeait une pompe, il fallait le caresser, le prendre dans sa bouche, puis le mordre soudain en lui écrasant les testicules. Elle connaissait tous les trucs pour faire s'enfuir un violeur dans la nuit, avec des cris de douleur, mais elle avait un couteau sur la gorge.

La pointe de la lame la piquait au creux du cou, là où son pouls battait follement. Elle sentait encore le sang s'écouler lentement de sa blessure au visage, le feu qui cuisait le long de sa joue. Elle avait la jupe retroussée sur les cuisses et la pluie lui mouillait les jambes. Sous elle, le métal froid de la plate-forme ; derrière, le béton humide du mur. Soudain elle le sentit pénétrer en elle, buter contre les lèvres qui le rejetaient, et elle eut l'impression qu'il allait la déchirer comme avec le couteau – le couteau toujours sur sa gorge, prêt à entamer sa chair.

Elle tremblait de peur, et de honte. Impuissante, subissant ses coups de boutoir, elle sanglotait, l'implorait d'arrêter mais n'osait crier de peur que le couteau ne pénètre dans sa gorge comme l'homme la pénétrait plus bas. Et lorsqu'il frissonna, que la pointe de la lame trembla contre sa gorge et qu'il retomba sur elle, immobile pendant quelques instants, elle ne put que penser : *C'est terminé, il a fini,* et la honte la submergea à nouveau. Elle se sentit totalement avilie et ses sanglots se firent plus amers. Elle prit alors conscience qu'elle n'était plus une femme flic au travail mais une *victime* effrayée dans une ruelle obscure, les jambes écartées, les sous-vêtements déchirés, le corps souillé par le sperme d'un inconnu. La pluie, les larmes et la souffrance lui firent fermer les yeux.

– Maintenant, va te faire avorter, lui lança-t-il en roulant sur le côté.

Eileen se demanda où était son arme – ses armes.

Par-dessus le crépitement de la pluie, elle entendit l'homme sortir de la ruelle en courant.

Elle demeura immobile, les yeux clos, tenaillée par la douleur en haut et au centre de son corps.

Elle resta longtemps sans bouger.

Puis elle sortit de la ruelle en titubant, trouva un poste d'appel et prévint la police.

Elle s'évanouit au moment où un éclair illuminait le ciel et n'entendit pas le grondement de tonnerre qui suivit.

12

Annie Rawles sortit animée d'un désir de vengeance.

Informée de ce qui était arrivé à Eileen la veille, l'imaginant déchirée et perdant son sang dans la ruelle battue par la pluie, elle ne pensait qu'à une chose : il fallait arrêter ce salaud. Et elle espérait que, lorsqu'elle le pincerait, elle ne l'abattrait pas froidement avant même de lui demander son nom. Elle ignorait ce qui était arrivé la veille à Teddy Carella dans le bureau de Phillip Logan. En fait, elle ne connaissait Steve Carella que comme l'inspecteur à l'air vaguement chinois qui était assis derrière un des bureaux quand elle était entrée pour la première fois dans la salle de permanence du 87e. Mais eût-elle su que Teddy avait été soumise à son propre baptême du feu qu'elle aurait considéré l'incident comme une forme seulement mineure de ce qui était arrivé à Eileen.

Elle avait été prévenue par le sergent Murchison à

huit heures moins dix, cinq minutes après qu'une voiture de ronde du 87e eut répondu à l'appel d'Eileen et l'eut trouvée inconsciente sur le trottoir. Elle avait écouté Murchison en silence, l'avait remercié. Puis elle avait passé un imperméable et était sortie dans la rue, où il continuait à pleuvoir.

Lorsque Annie arriva à l'hôpital, on avait déjà mis douze agrafes à la joue d'Eileen. Le docteur des urgences l'informa qu'il avait donné un sédatif à la blessée, qui dormait maintenant. Il pensait la garder vingt-quatre heures en observation parce qu'elle était en état de choc lorsqu'on l'avait admise. Le médecin refusa à Annie la permission de voir Eileen, même quand elle tenta de faire jouer son grade. L'inspectrice retourna donc chez elle, appela à tout hasard l'A.C.I. au cas improbable où il y aurait quelqu'un (il était alors presque dix heures), n'obtint pas de réponse, chercha dans l'annuaire le numéro personnel de Polly Floyd, la responsable de l'A.C.I. à qui elle avait parlé la veille. Là non plus, pas de réponse. Annie essaya vainement jusqu'à minuit puis alla se coucher et se retourna toute la nuit dans son lit.

Le lendemain matin à neuf heures, personne ne répondit lorsque l'inspectrice téléphona de nouveau à l'A.C.I. Elle fit une seconde tentative au quart, une troisième à la demie puis composa le numéro personnel de Polly Floyd. Annie compta une douzaine de sonneries et s'apprêtait à renoncer quand Polly décrocha enfin. Quand l'inspectrice lui fit part de son intention de passer au bureau de l'A.C.I., la responsable de l'organisation répondit qu'il était fermé le samedi. Annie lui demanda de l'ouvrir. « Impossible », déclara Polly. Annie lui demanda de l'ouvrir et de réunir tout le personnel pour onze heures. Comme Polly répliquait qu'il n'en était pas question, la femme flic prit une profonde inspiration et dit :

– Miss Floyd, une de mes collègues a été admise hier soir à l'hôpital pour une blessure nécessitant douze agrafes. Je peux traverser toute la ville pour demander au juge un mandat de perquisition, mais je vous préviens, miss Floyd : je serai aussi vache que possible si vous m'y obligez.

– C'est de la coercition ?

– Exactement, répondit Annie.

– Je vais voir si je peux réunir le personnel.

– Merci, dit Annie avant de raccrocher.

Les bureaux de l'A.C.I. se trouvaient au troisième étage d'un immeuble abritant au rez-de-chaussée une librairie dont les affaires semblaient péricliter. Annie Rawles y arriva un peu avant onze heures. Le petit vestibule qu'elle découvrit derrière la porte en verre dépoli aurait fait penser au bureau d'un détective privé dans la mouise, n'étaient les affiches collées sur les murs. Sur des photos géantes représentant un fœtus à divers stades de développement s'étalaient les mots ASSOCIATION CONTRE L'INFANTICIDE, en lettres rouges dégouttant de sang. Polly Floyd elle-même ressemblait à un fœtus à un stade de développement avancé, avec son minuscule visage rose, ses cheveux blonds coupés court, sa bouche qui semblait n'avoir jamais été embrassée et ne l'avoir jamais *voulu*. Mais Annie Rawles se trompait peut-être sur ce point : miss Floyd n'avait pas répondu au téléphone à minuit, la veille, et il lui avait fallu une éternité pour décrocher à neuf heures et demie le lendemain matin.

A l'arrivée d'Annie, Polly Floyd monta sur ses grands chevaux et se plaignit des Etats policiers, qui soumettent les honnêtes citoyens à...

– Désolée, interrompit Annie qui ne le paraissait pas du tout. Mais comme je vous l'ai dit au téléphone, il y a urgence.

– Qu'est-ce que votre collègue a à voir avec nous ? demanda Polly. S'il s'est fait poignarder...

– Pas il, *elle*.

– Cela ne change rien. Qu'est-ce... ?

– Où est votre personnel ? demanda l'inspectrice abruptement.

Elles se tenaient dans le petit vestibule orné de photos de fœtus et Polly Floyd n'avait pas enlevé son manteau. Manifestement, elle s'attendait à un bref entretien.

– Dans mon bureau, répondit-elle.

– Combien de membres ?

– Quatre.

– Y compris vous ?

– En plus de moi.

– Des hommes ?

– Un seul.

– Je veux le voir, dit Annie.

Le *voir* était bien la première chose qu'elle voulait.

Elle avait appelé l'hôpital une demi-heure plus tôt, avant de sortir de chez elle, pour s'enquérir de l'état de la blessée et lui parler si possible. Eileen, à qui on avait passé la communication dans sa chambre, lui avait paru un peu vaseuse mais avait assuré qu'elle se sentait bien – compte tenu de ce qui s'était passé. Elle avait donné de l'homme qui l'avait agressée un signalement correspondant exactement à celui fourni par les autres victimes : blanc, la trentaine, un mètre quatre-vingt-dix – deux mètres, quatre-vingt-dix kilos, cheveux bruns, yeux bleus, pas de cicatrice ni de tatouage visibles.

L'homme qui attendait dans le bureau de Polly Floyd était un Noir décharné d'une soixantaine d'années, avec des yeux marron derrière des lunettes d'écaille et une couronne de cheveux blancs autour de son crâne dégarni.

Il y avait trois autres personnes dans la pièce, toutes des femmes.

Annie Rawles leur demanda de s'asseoir.

Miss Floyd, qui se tenait sur le seuil de la porte, paraissait contrariée par cette intrusion dans les bureaux de l'A.C.I., et plus encore par cette prise de possession désinvolte de son *propre* bureau.

L'inspectrice demanda aux employés s'ils connaissaient l'un des noms suivants : Lois Carmody, Terry

Cooper, Patricia Ryan, Vivienne Chabrun, Angela Ferrari, Cecily Bainbridge, Blanca Diaz, Mary Hollings et Janet Reilly.

Tous répondirent que ces noms leur disaient quelque chose.

– Ces femmes ont fait un don à l'A.C.I. à un moment ou à un autre, dit Annie. C'est bien exact ?

Personne ne savait si c'était la raison pour laquelle ces noms semblaient familiers.

– Combien avez-vous de donateurs ? demanda Annie.

Les quatre employés regardèrent Polly Floyd.

– Navrée, mais ce sont *nos* affaires, répondit-elle du seuil, les bras croisés sur la poitrine.

– Vous gardez une liste de vos donateurs ? insista l'inspectrice.

– Oui, mais elle est confidentielle.

– Qui y a accès ?

– Chacun de nous.

– Je croyais qu'elle était confidentielle.

– Seul le personnel y a accès, déclara miss Floyd.

– Enfin, ce n'est pas tout à fait... commença le Noir à la couronne de cheveux blancs.

– De toute façon, coupa Polly, il n'est pas question de la communiquer à la police.

Annie Rawles se tourna vers le vieillard.

– Pardon, monsieur, je n'ai pas bien saisi votre nom...

– Eleazar Fitch, répondit-il.

– J'aime les prénoms bibliques, assura Annie avec un sourire.

– Mon père s'appelait Elijah, dit Fitch en lui rendant son sourire.

– Vous disiez, Mr Fitch, à propos de cette liste ?

– Quel que soit l'objet de votre enquête, intervint miss Floyd, nous ne tenons pas du tout à ce que l'A.C.I. soit mêlée à cette histoire d'agression.

– Agression qui constitue un délit de troisième catégorie, reprit Annie, passible de trois à quinze ans d'emprisonnement. Le viol, par contre...

– Le viol ? dit Polly, dont le visage rose devint livide.

– Le viol est un délit de deuxième catégorie, passible de vingt-cinq ans de prison. Cette inspectrice a été violée hier soir. Blessée *et* violée, miss Floyd. Nous avons de bonnes raisons de penser que son agresseur est aussi responsable du viol de neuf autres femmes, dont huit ont fait des dons à l'A.C.I. Ce que je voudrais savoir...

– Je suis sûre que ces dons n'ont rien à voir avec...

– Comment pouvez-vous le savoir ? coupa Fitch.

Polly Floyd retrouva son teint rose.

– Nous vendons notre liste d'adresses, avoua Fitch à Annie.

– A qui ? demanda aussitôt l'inspectrice.

– A toute organisation responsable qui... commença Polly.

– Vous savez que ce n'est pas vrai, lui lança Fitch avant de se tourner à nouveau vers Annie. Nous la communiquons à toute personne nous faisant un don important.

– Qu'est-ce que vous considérez comme important ?

– Plus de cent dollars.

– Alors si je vous envoie cent dollars en vous demandant votre liste d'adresses...

– Vous l'obtenez par retour du courrier.

– A condition que vous nous ayez *aussi* informés de l'usage que vous comptez en faire, ajouta Polly.

– C'est vrai, Mr Fitch ?

– Nous l'envoyons à toute personne s'intéressant au mouvement de Défense de la vie, répondit le Noir. Déclarez-vous intéressée par le mouvement, envoyez-nous un chèque de cent dollars et vous aurez la liste.

– Je vois, dit Annie.

– Nous ne sommes pas une grande organisation, se défendit Polly. Nous avons des ressources limitées. Nous n'existons que depuis deux ans et nous devons avoir recours à tous les moyens possibles et moralement acceptables pour subsister. Il n'y a rien de mal à fournir une liste d'adresses à un donateur intéressé, vous savez. Cela se fait pour des tas de choses !

– Combien de listes avez-vous communiquées depuis le début de l'année ? demanda Annie.

– Je n'en ai aucune idée, répondit Polly.

– Pas plus de dix, assura Fitch.

– Toutes ici, dans cette ville ?

– La plupart. Certaines ailleurs.

– Combien dans cette ville ?

– Je ne sais pas, il faudrait que je consulte le fichier.

– Vous avez les noms et les adresses, dans ce fichier ?

– Oh ! oui.

– J'aimerais le voir, s'il vous plaît.

– Vous communiquer ces noms reviendrait à empiéter sur la vie privée de personnes qui n'apprécieraient peut-être pas cette intrusion, déclara Polly.

Annie la regarda. Elle ne répliqua pas que dire à une femme ce qu'elle a le droit de faire et de ne pas faire avec sa propre grossesse constitue peut-être aussi une violation de la vie privée. Elle se contenta de soupirer :

– J'ai l'impression que je vais quand même devoir aller chercher un mandat.

– Donnez-lui les noms, maugréa Polly Floyd.

Elle était assise dans le lit, les mains à plat sur le drap, quand Kling entra dans la chambre. Elle regardait par la fenêtre ruisselante de pluie qui encadrait une vue grise de bâtiments se dressant au loin.

– Salut, dit-il.

Lorsque Eileen se tourna vers la porte, Kling découvrit le pansement sur sa joue gauche : une grosse compresse de coton maintenue par du sparadrap. Ses yeux rouges et gonflés révélaient qu'elle avait pleuré. Elle sourit, leva une main en guise d'accueil puis la laissa retomber mollement, blanche sur le drap blanc.

– Salut, dit-elle.

Kling s'approcha du lit, embrassa Eileen sur sa joue intacte.

– Ça va ? demanda-t-il.

– Ouais, ça va.

– J'ai vu le docteur, il dit que tu pourras sortir aujourd'hui.

– C'est bien.

Kling ne savait pas quoi ajouter.

– Je fais un beau flic, hein ? grommela Eileen. Il m'a flanqué une telle frousse que j'ai lâché mes deux armes, que je l'ai laissé... (Elle détourna la tête.) Il m'a violée, Bert.

– Je le sais.

– Et qu'est-ce... qu'est-ce que ça te fait ?

– J'ai envie de le tuer, répondit Kling.

– Oui, mais qu'est-ce que ça te fait que j'aie été violée ?

Il la regarda, perplexe. Elle gardait la tête tournée vers la fenêtre comme pour cacher son pansement et, du même coup, la blessure témoignant de sa reddition.

– Que je l'aie *laissé* me violer, précisa Eileen.

– Tu ne l'as rien laissé faire du tout.

– Je suis flic.

– Chérie...

– J'aurais dû... commença-t-elle, puis elle secoua la tête. J'avais trop peur, Bert, murmura-t-elle.

– Moi aussi, il m'est arrivé d'avoir peur.

– J'avais peur qu'il me tue.

Elle se tourna vers lui, leurs regards se rencontrèrent. Des larmes embuèrent celui d'Eileen, qui cligna des yeux.

– Un flic ne *doit* pas avoir une telle trouille, Bert. Un flic doit... il doit... J'ai jeté mon arme ! Dès la seconde où il m'a piqué les côtes, j'ai paniqué, Bert, j'ai lâché mon pistolet ! Je l'avais dans la main et je l'ai jeté !

– J'aurais fait la même chose...

– J'en avais un autre dans une botte, un petit Browning. Je l'ai saisi et j'étais prête à tirer quand il... il m'a balafrée.

Kling garda le silence.

– Je ne savais pas que ça faisait aussi mal, Bert. Lorsqu'on se coupe en se rasant les jambes ou les aisselles, cela pique un peu pendant une minute, mais là, c'était mon *visage* ! Je ne suis pas une beauté, je le sais, mais je n'ai pas de tête de rechange et...

– Tu es splendide, assura Kling.

– Plus maintenant, soupira Eileen en détournant les yeux. Quand il m'a coupée et que j'ai perdu ma seconde arme, j'ai su que... que je ferais tout ce qu'il voudrait. Je l'ai laissé me violer, Bert. Je l'ai *laissé faire.*

– Il t'aurait tuée.

– Totalement impuissante, murmura-t-elle en secouant à nouveau la tête.

Bert ne dit rien.

– Maintenant... je suppose que tu te demandes toujours si je ne l'ai pas cherché, hein ?

– Arrête.

– C'est bien la question que les hommes se posent quand leur femme ou leur petite amie se fait...

– Tu l'as effectivement cherché. C'était ta mission. Tu faisais ton boulot et tu t'es fait blesser...

– Je me suis aussi fait *violer* ! s'écria Eileen en se tournant vers Bert, les yeux étincelants.

– C'est aussi une blessure.

– Non ! Toi, tu t'es fait blesser en service mais personne ne t'a jamais *violé* après ! Il y a une différence.

– Je sais qu'il y a une différence.

– Je n'en suis pas certaine. Parce que si tu comprenais la différence, tu ne me sortirais pas ces conneries sur ma « mission » et mon « boulot » !

– Eileen...

– Il n'a pas violé un flic, il a violé une *femme* ! Il m'a violée, *moi* ! Parce que je suis une *femme* !

– Je sais.

– Comment le saurais-tu ? Tu es un homme, les hommes ne se font pas violer.

– Cela arrive, dit Kling d'une voix douce.

– Où ? En prison ? C'est seulement parce qu'il n'y a pas de femmes.

– Cela arrive, répéta simplement le policier.

Elle le regarda et vit dans ses yeux une souffrance aussi profonde que celle qu'elle avait ressentie la veille lorsque le couteau avait tailladé son visage. Elle le regarda longuement et sa colère se dissipa. C'était Bert qui était assis auprès d'elle, pas quelque vague ennemi nommé l'Homme.

– Je suis désolée, dit-elle.

– Tout va bien.

– Je ne devrais pas m'en prendre à toi.

– A qui d'autre, alors ? fit Kling en souriant.

Eileen chercha la main de Bert, y logea la sienne.

– Je n'aurais jamais cru que cela pourrait m'arriver, soupira-t-elle. Jamais. J'avais déjà eu peur – on a toujours un peu peur...

– Oui.

– Mais jamais je n'aurais cru... Tu te souviens de mes plaisanteries sur mes fantasmes de viol ?

– Oui.

– Tant que ce n'est pas *réel*... Je n'ai jamais pensé que je risquais vraiment de me faire violer. Blesser oui, mais pas violer. J'étais *flic*, comment un flic pourrait-il...

– Tu es toujours flic.

– Et comment ! Tu te rappelles que je trouvais ce boulot d'appât dégradant ? que j'envisageais de demander ma mutation ?

– Je me le rappelle.

– Eh bien, maintenant, il faudrait de la dynamite pour me faire lâcher ce travail.

– C'est bien, dit Kling, et il lui embrassa la main.

– Parce que... parce qu'il faut que quelqu'un le fasse pour empêcher que cela n'arrive à d'autres femmes. Quelqu'un...

– Toi, dit Kling.
– Oui, moi, murmura Eileen.
Ils restèrent un moment silencieux puis elle le regarda dans les yeux et dit :
– Est-ce que... (sa voix s'étrangla...) est-ce que tu m'aimeras autant avec une cicatrice ?

Parfois, on a de la chance au premier essai.

Il n'y avait pas eu dix demandes de liste d'adresses, comme Eleazar Fitch le supposait, mais seulement huit. Trois émanaient de personnes étrangères à la ville désireuses de créer un groupe dans leur propre localité et cherchant le soutien de personnes ayant déjà fait des dons. Cinq autres provenaient de la ville même : un mouvement pour la stricte surveillance des ouvrages mis à la disposition du public dans les bibliothèques ; un autre opposé à ce que les jeunes filles puissent consulter un spécialiste en contraception sans l'autorisation des parents ; un groupe opposé à l'euthanasie ; une organisation hostile à l'adoption de l'amendement sur l'Egalité des droits. Une seule demande émanait d'un simple citoyen précisant dans sa lettre qu'il préparait un article pour une revue intitulée *Our Right* et qu'il aurait aimé interviewer des membres de l'A.C.I.

Il s'appelait Arthur Haines.

On était samedi et Annie Rawles espérait qu'elle le trouverait chez lui. L'adresse à laquelle la liste avait été envoyée était située dans un ensemble résidentiel de Majesta. Il pleuvait encore un peu quand l'inspectrice y arriva. Des feuilles mouillées jonchaient les allées ; de nombreux appartements étaient éclairés bien qu'il ne fût pas encore une heure de l'après-midi. Annie trouva l'appartement d'Arthur Haines – au rez-de-chaussée d'un petit bâtiment en brique rouge – et appuya sur la sonnette. Du seuil de la porte d'entrée, elle découvrait une partie de la salle de séjour, dont les rideaux étaient ouverts. Deux petites filles assises par terre regardaient un dessin animé à la télévision. La plus âgée, qui devait avoir huit ans, donna un coup de coude à sa sœur, sans doute pour lui enjoindre d'aller ouvrir. La plus jeune, âgée de six ans environ, fit la moue, se leva et disparut du champ de vision d'Annie. Quelque part dans l'appartement, une voix de femme cria :

– Est-ce que l'une de vous deux pourrait aller ouvrir, *s'il vous plaît* ?

– J'y suis, m'man ! répondit la cadette, qui était maintenant derrière la porte. Qui est-ce ?

– Police, répondit l'inspectrice.

– Une minute, s'il vous plaît, fit la petite fille.

Annie attendit. Elle entendit l'enfant dire à sa mère que c'était *la police*, la mère lui répondre de retourner regarder la télévision.

– Oui, qui est là ? demanda la voix de la femme derrière la porte.

– Police. Ouvrez, s'il vous plaît.

La femme qui ouvrit la porte était manifestement enceinte et sans doute dans son dernier mois. Bien qu'il fût presque une heure de l'après-midi, elle portait encore un peignoir de bain sur une chemise de nuit et paraissait aussi gonflée que possible. Avec son ventre énorme commençant juste sous les seins et s'épanouissant vers l'avant, elle avait l'air d'un ballon dirigeable surmonté d'un visage de poupée, sans maquillage.

– Oui ? dit-elle.

– Je cherche Arthur Haines, annonça Annie. Il est là ?

– Je suis Lois Haines, sa femme. De quoi s'agit-il ?

– J'aimerais lui parler.

– A quel sujet ?

Lois Haines barrait le seuil comme un éléphant belliqueux. Elle fronçait les sourcils, manifestement importunée par cette intrusion.

– J'aimerais lui poser quelques questions.

– A quel sujet ? répéta Mrs Haines.

– Je peux entrer, s'il vous plaît, madame ?

– Faites-moi voir votre insigne.

Annie ouvrit son sac à main et en tira sa plaque. La femme l'examina et dit :

– Je voudrais que vous m'expliquiez...

– Qu'y a-t-il, chérie ? fit une voix d'homme.

Derrière Mrs Haines, qui barrait toujours l'entrée, le ventre en avant, Annie aperçut un homme grand, châtain, venant du fond de l'appartement. Sa femme s'écarta légèrement pour se tourner vers lui et Annie put le détailler tandis qu'il s'approchait : la trentaine, deux mètres, quatre-vingt-dix kilos, des cheveux châtains, oui, et des yeux bleus.

– Cette femme désire te parler, dit Lois. Elle est inspecteur de police.

Le mot « inspecteur » amusa Annie mais elle ne sourit pas, trop occupée qu'elle était à observer Haines, qui s'approchait de la porte, une expression aimable sur le visage.

– Entrez donc, invita-t-il. Qu'est-ce qui te prend, Lo ? Tu ne te rends pas compte qu'il pleut, dehors ? Entrez, entrez, fit-il avec un geste de la main quand son épouse s'effaça. C'est à quel sujet ? Je suis mal garé ? Je pensais que le stationnement alterné ne s'appliquait pas le week-end.

– Je ne sais pas où vous êtes garé, répondit Annie Rawles. Je ne viens pas pour votre voiture.

Ils se tenaient à présent tous trois dans l'entrée, l'air mal à l'aise, et les deux petites filles avaient délaissé le dessin animé pour la dame qui se disait de la police. Elles n'avaient jamais vu de vraie femme flic, et celle-là n'avait pas l'air d'un flic du tout. Elle portait un imperméable, des lunettes éclaboussées de pluie, un sac en cuir pendu à l'épaule gauche et des chaussures de marche à talons bas. Elle ressemblait plutôt à la tante Josie du Maine, qui était assistante sociale.

– Alors, que puis-je faire pour vous ? demanda Haines.

– Y a-t-il un endroit où nous pourrions parler tranquillement ? dit Annie, avec un coup d'œil aux enfants.

– Allons dans la cuisine, proposa Haines. Chérie, il reste du café ? En voulez-vous une tasse, miss... Excusez-moi, je n'ai pas bien saisi votre nom.

– Inspectrice Annie Rawles.

– Par ici.

Ils passèrent dans la cuisine. Annie et Haines s'assirent à la table et comme Lois s'approchait du réchaud, l'inspectrice l'arrêta :

– Merci, Mrs Haines, pas de café.

– Il est frais de ce matin, insista la maîtresse de maison.

– Non, merci. Mr Haines, avez-vous écrit à une organisation s'appelant l'A.C.I. pour leur demander une liste de leurs donateurs ?

– Mais oui, répondit Haines, l'air surpris.

Debout près du réchaud, sa femme l'observait.

– Quel usage comptiez-vous en faire ?

– Je préparais un article sur le comportement et les opinions des sympathisants du mouvement de Défense de la vie.

– Pour une revue, n'est-ce pas ?

– Oui.

– Vous êtes journaliste, Mr Haines ?

– Non, je suis professeur.

– Où enseignez-vous ?

– Au collège Oak Ridge.

– Ici à Majesta ?

– Oui, à moins de deux kilomètres d'ici.

– Il vous arrive souvent d'écrire des articles pour des revues, Mr Haines ?

– Eh bien... commença Haines. (Il jeta un coup d'œil à sa femme, qui l'observait toujours attentivement.) Non, ce n'est pas dans mes habitudes.

– Mais vous avez pensé que vous aimeriez écrire *cet* article en particulier...

– Oui. J'aime beaucoup ce magazine – je ne sais pas si vous le connaissez. *Our Right* est publié par une organisation à but non lucratif...

– Alors vous avez fait un don de cent dollars à l'A.C.I. et vous leur avez demandé leur liste d'adresses, c'est exact ?

– Oui.

– Tu as donné cent dollars à quelqu'un ? intervint Lois.

– Oui, chérie. Je t'en ai parlé.

– Certainement pas ! *Cent dollars ?* fit-elle en secouant la tête de stupeur.

– Combien espériez-vous obtenir pour cet article ? demanda Annie.

– Oh ! Je ne sais pas combien ils paient.

– La revue savait que vous prépariez cet article ?

– Euh, non. J'avais l'intention de l'écrire d'abord et de le soumettre ensuite.

– En l'envoyant.

– Oui.

– Dans l'espoir qu'il serait accepté.

– Oui.

– Avez-vous effectivement écrit cet article, Mr Haines ?

– Eh bien... non... Je n'en ai pas eu le temps. Je participe à nombre d'activités extra-scolaires du collège, voyez-vous. J'enseigne l'anglais, je suis conseiller pour le journal du collège, ainsi que pour le théâtre amateur et le club de débats. Je suis parfois un peu débordé mais j'y arrive quand même.

– Avez-vous déjà pris contact avec l'une des personnes figurant sur la liste de l'A.C.I. ?

– Non, pas encore. Dès que j'aurai un peu de temps libre...

– Tu as dit qu'il porterait sur *quoi,* cet article ? demanda Lois.

– Euh... sur la Défense de la vie. Le mouvement. Les opinions de... euh... des femmes qui...

– Depuis quand soutiens-tu la Défense de la vie ? demanda Lois.

– Cela m'intéresse, répondit Haines.

Sa femme le regarda avec insistance.

– Depuis un bout de temps, d'ailleurs, ajouta-t-il, avant de s'éclaircir la voix.

– Première nouvelle, déclara Lois en posant les mains sur son ventre comme si c'était une pastèque trop mûre.

– Lois...

– Alors, là, première nouvelle, répéta Lois en roulant de grands yeux. Vous auriez dû l'entendre quand je lui ai appris que j'étais de nouveau enceinte, dit-elle à Annie.

– Je suis sûr que cela n'intéresse absolument pas miss Rawles, intervint Haines. A propos, doit-on vous appeler miss Rawles ou inspectrice Rawles ?

– Comme vous voudrez.

– Eh bien, miss Rawles, pouvez-vous me révéler le motif de votre visite ? Ma lettre à l'A.C.I. a-t-elle posé un problème quelconque ? Une anodine demande de liste d'adresses.

– Je n'en reviens toujours pas que tu aies payé *cent dollars* pour une liste d'adresses, dit Lois.

– C'est déductible pour les impôts.

– Et à une organisation de Défense de la vie ? fit Lois en secouant la tête. C'est incroyable ! (Elle se tourna vers Annie.) On vit pendant dix ans avec un homme et on ne le connaît pas vraiment.

– Mr Haines, dit Annie, savez-vous si la liste que vous avez reçue de l'A.C.I. comportait les noms suivants... (Elle ouvrit son calepin.) Lois Carmody, Blanca Diaz, Patricia Ryan...

– Non, je ne connais aucun de ces noms.

– Je ne vous ai pas demandé si vous les connaissiez, Mr Haines. Je vous ai demandé s'ils figurent sur la liste de l'A.C.I.

– Il faudrait que je vérifie. Si je remets la main dessus...

– Vivienne Chabrun ? Angela Ferrari ? Terry Cooper...

– Non, je ne les connais pas.
– Cecily Bainbridge, Mary Hollings, Janet Reilly ?
– Non.
– Eileen Burke ?

Haines parut un instant surpris puis répondit :

– Non.
– Mr Haines, pouvez-vous me dire où vous étiez hier soir entre sept heures et demie et huit heures ? demanda Annie en détachant ses mots.
– Au collège. Les gosses bouclent le journal le vendredi soir. J'étais avec eux.
– A quelle heure avez-vous quitté la maison hier soir pour vous rendre au collège ?
– A vrai dire, je ne suis pas rentré. J'avais quelques copies à corriger et je suis allé directement de la salle des profs au bureau du journal. Pour y retrouver les enfants.
– Quelle heure était-il, Mr Haines ? Lorsque vous avez retrouvé les enfants ?
– Oh, quatre heures-quatre heures et demie. Ils bûchent, ces petits, je suis vraiment fier du journal. On l'appelle *la Gazette d'...*
– A quelle heure êtes-vous rentré chez vous ?
– Il ne faut que dix minutes pour faire le chemin. C'est à moins de deux kilomètres – mille huit cent cinquante mètres exactement.
– Alors à quelle heure êtes-vous rentré ?
– Huit heures ? Aux environs de huit heures, non, Lo ?
– Plutôt dix, répondit Lois. J'étais déjà couchée.
– Oui, entre huit et dix heures.
– Il était exactement dix heures moins dix, déclara Mrs Haines. J'ai regardé le réveil quand je t'ai entendu rentrer.
– Alors vous êtes resté au bureau du journal de quatre heures...
– Plutôt quatre heures et demie.
– De quatre heures et demie à dix heures moins

vingt, donc, puisqu'il ne faut que dix minutes pour faire la route et que vous êtes rentré à dix heures moins dix...

– Si Lois en est certaine... Moi je pensais qu'il était plus près de huit heures.

– Cela fait près de cinq heures pour boucler le journal. C'est toujours aussi long ?

– Cela varie.

– Et vous êtes resté tout le temps avec les enfants ?

– Oui.

– Les enfants qui font le journal.

– Oui.

– Pourrais-je avoir leurs noms, Mr Haines ?

– Pour quoi faire ?

– J'aimerais leur parler.

– Pourquoi ?

– Pour vérifier si vous étiez bien avec eux hier soir comme vous le dites.

Haines regarda sa femme puis revint à l'inspectrice.

– Je... je n'en vois pas la nécessité. Et j'ignore *toujours* la raison de votre visite. En fait...

– Mr Haines, étiez-vous à Isola, hier soir ? A proximité du 1840, Laramie Crescent, entre sept heures trente et...

– Je vous ai dit que j'étais...

– Plus exactement dans une ruelle...

– Ne soyez pas stupide.

– ... proche du 1840, Laramie Crescent...

– J'étais...

– ... où vous avez blessé et violé une femme que vous preniez pour Mary Hollings ?

– Je ne connais personne de ce...

– Mary Hollings, que vous aviez *déjà* violée, le 10 juin, le 16 septembre et le 7 octobre ?

Dans la cuisine silencieuse, Haines se tourna vers son épouse.

– J'étais au collège, hier soir, lui dit-il.

– Alors, donnez-moi les noms des enfants avec qui vous étiez, demanda Annie Rawles.

– J'étais au *collège*, bon Dieu ! cria Haines.

– J'ai lavé ta chemise, ce matin, murmura Lois en regardant son mari. Il y avait du sang au poignet. (Elle baissa les yeux.) J'ai dû frotter à l'eau froide pour l'enlever.

Une des petites filles apparut sur le seuil de la cuisine.

– Qu'est-ce qu'il y a ? fit-elle.

– Mr Haines, je dois vous demander de me suivre, dit Annie.

– Qu'est-ce qu'il y a ? répéta la petite fille.

« Vous voulez savoir pourquoi ? dit-il dans le micro du magnétophone. Je vais vous l'expliquer. Je n'ai rien à cacher, rien dont je puisse avoir honte. Si plus de gens réagissaient comme moi, nous ne serions plus infestés par ces foutus groupes qui veulent imposer aux autres leurs idées débiles. En comparaison, je n'ai fait de mal à personne. Si vous considérez le mal qu'ils font aux gens, je suis un vrai saint. A qui ai-je fait du mal, vous pouvez me le dire ? Je ne parle pas des deux que j'ai dû blesser, c'était pour me protéger – de la légitime défense, en un sens. Mais les autres, je ne leur ai fait aucun mal, j'ai simplement essayé de leur montrer ce qu'il y a d'erroné dans leur position. Il est parfois *indispensable* de se faire avorter, et cela, elles ne semblent pas le comprendre. Je voulais leur en donner une preuve décisive, je voulais qu'elles se retrouvent enceintes d'un violeur et qu'elles soient *forcées* de recourir à l'avortement. Vous porteriez le bébé d'un violeur, vous ? Vous le mettriez au monde ? Je suis sûr que vous ne le feriez pas. Et j'étais sûr qu'elles ne le feraient pas non plus. C'est pourquoi j'ai établi un plan pour qu'elles finissent tôt ou tard par tomber enceintes. Si je les violais assez souvent, elles le deviendraient fatalement, c'était aussi simple que cela.

» Vous voulez que je vous dise ? Aucun de mes enfants n'a été désiré. Les deux petites filles que vous avez vues sont des accidents. Et celui que ma femme porte en ce moment, un accident aussi. Elle est catholique, elle ne veut utiliser que la méthode naturelle. Vous croyez qu'elle aurait compris maintenant que cette fichue méthode ne marche pas ? Un gosse seize mois après notre mariage, un autre deux ans après. Je ne cesse de lui demander de prendre la pilule, de se faire poser un diaphragme ou de me laisser utiliser des préservatifs. Non, non. C'est contraire aux enseignements de l'Eglise. La méthode naturelle, c'est tout. Ou l'abstinence. Fameux choix, hein ? J'ai trente et un ans, je suis père depuis l'âge de vingt-trois ans – formidable, non ? Et maintenant, il y en a un troisième en route. Elle me l'a appris en février : "Chéri, nous allons avoir un autre bébé." Formidable. Vraiment formidable. Exactement ce qu'il me fallait. Quand j'ai parlé d'avortement, on aurait cru que je lui demandais d'aller se noyer. Un avortement ? tu es fou ? un *avortement* ? C'est légal, lui ai-je dit, nous ne sommes plus au Moyen Age. Tu n'es pas obligée de le garder. Elle m'a répondu que l'Eglise est contre l'avortement, elle a même prétendu que beaucoup de *non-catholiques* sont contre et s'efforcent d'obtenir une modification de la loi. Elle m'a répondu que le *président des Etats-Unis* est contre ! J'ai dit que le président des Etats-Unis ne gagne pas vingt mille dollars par an, qu'il n'a pas à se décarcasser pour nourrir, loger, habiller ses enfants, que le président des Etats-Unis ne s'appelle pas Arthur Haines et que *moi*, je ne veux plus d'enfants ! J'ai trente et un ans, j'en aurai presque cinquante quand le dernier entrera à l'université. Elle m'a répondu tant pis, nous allons avoir un autre bébé, autant te faire à cette idée.

» Je m'y suis fait. Mais je me suis fait aussi à une *autre* idée. Une idée que je ruminais depuis un moment. Ces femmes qui criaient non à l'avortement ! non à l'avortement ! j'allais les mettre dans une situation où elles auraient absolument *besoin* d'avorter, elles verraient ce que c'est quand cela vous tombe dessus. J'ai écrit à Laissez-les vivre pour leur demander leur liste d'adresses mais on m'a répondu que je devais représenter une organisation et spécifier l'usage que je comptais faire de la liste. Ça, je ne pouvais vraiment pas le leur dire. Alors je me suis rabattu sur un groupe local, l'A.C.I., l'Association contre l'infanticide – vous parlez d'un nom ! – je leur ai écrit que je préparais un article en faveur de la Défense de la vie, que je voulais prendre contact avec des sympathisantes du mouvement pour connaître leurs sentiments profonds sur la question, et autres conneries, et ils m'ont répondu qu'il fallait faire un don de cent dollars à l'organisation pour recevoir la liste. J'ai estimé que cent dollars, c'était peu de chose pour ce que j'envisageais de faire, pour ce que je *devais* faire.

» La liste d'adresses ne précisait pas la confession des donatrices et il me fallait absolument des catholiques. Je ne voulais pas d'une de ces protestantes qui soutiennent financièrement le mouvement mais utilisent un diaphragme, vous comprenez ? Il fallait qu'elles tombent enceintes, c'était le but. Si je m'occupais d'une baptiste ou je ne sais quoi, une hindouiste, je perdrais mon temps et mon énergie si elle prenait la pilule. Alors je les ai suivies – j'ai tout de suite éliminé les Kaplowitz ou les Cohen, manifestement juives – et j'ai rapidement vu qui allait à l'église catholique le dimanche matin et qui n'y allait pas. J'ai donc sélectionné les catholiques. Toutes les catholiques ayant fait un don à l'A.C.I. Elles étaient la cible visée. Je voulais leur montrer, premièrement, où elle pouvait se mettre, la méthode, la méthode naturelle, et, deuxièmement, qu'elles avaient des idées erronées sur l'avortement. Si elles n'avaient pas d'autre solution, elles se feraient avorter, et vite.

» C'est une simple coïncidence si l'une de ces femmes s'appelle aussi Lois.

» Lois, c'est le nom de ma femme, mais ce n'est pas la raison pour laquelle j'ai choisi Lois Carmody. Simple coïncidence. Elle habitait près de chez moi et, les premières fois, je ne voulais pas rester absent trop longtemps, pour ne pas avoir à donner toutes sortes d'explications. Ensuite, j'ai raffiné. Toutes les femmes de la liste n'habitaient pas à une demi-heure de chez moi, il me fallait trouver des excuses plausibles, vous comprenez ? Alors j'ai raffiné. Oh ! J'ai quand même été bombardé de questions, vous pouvez me croire, mais ma femme n'a jamais su ce que je faisais. Elle m'a même accusé un jour d'avoir une liaison, vous vous rendez compte ? C'est plutôt drôle, non ? Sur un plan purement technique, j'avais effectivement *beaucoup* de liaisons. Enfin, quand elle m'en a accusé, je n'en avais pas tellement. C'était avant les grandes vacances. En juillet-août, nous passons deux mois dans le Maine, chez mes beaux-parents. J'ai horreur de ça mais je n'ai pas les moyens de m'offrir d'autres vacances. Bref, c'est en juin qu'elle m'a accusé d'avoir une liaison et je ne me suis occupé de Mary puis de Janet qu'après la rentrée.

» J'en ai épinglé une dès le premier coup.

» Elle n'est pas sur votre liste, je suppose que vous avez cherché uniquement des femmes violées plusieurs fois, non ? C'est sidérant la façon dont vous êtes remontés jusqu'à moi. Vraiment sidérant ! Vous devez vous donner beaucoup de mal. Enfin, cette femme, Joanna Little – elle est sur la liste d'adresses, pas sur celle que vous m'avez lue –, je l'ai eue dès la première fois – la *seule* fois, finalement. En mars : c'était une des premières. Je projetais de renouveler l'opération avec elle – il faut suivre le calendrier et renouveler régulièrement, sinon ça ne marche pas – mais quand je suis revenu la guetter, elle avait le ventre comme un ballon ! Je l'avais eue du premier coup ! Cela arrive, vous savez. Et j'ai su qu'elle se faisait avorter parce que, un samedi, je l'ai suivie à la clinique, et quand elle est ressortie, plus de ventre, envolé. J'avais obtenu ce que je cherchais, vous voyez ? Mon plan avait *fonctionné*. Je l'avais engrossée, je l'avais forcée à se faire avorter. La grande catholique ! La militante de la Défense de la vie ! Elle s'était débarrassée de son bébé comme d'une paire de vieilles chaussettes. Ce soir-là, je me suis soûlé et je suis rentré à la maison complètement ivre. Lois m'a fait une scène mais elle pouvait aller au diable, elle qui pondait les moutards à la chaîne. Je savais pourtant que c'était de la chance, de réussir du premier coup. De la chance pure et simple.

» En fait, il faut établir un calendrier et le suivre. Il faut opérer selon le cycle, vous comprenez. La méthode naturelle et le cycle menstruel, je connais par cœur, je suis un *expert.* Dans un cycle – qu'il soit de vingt-huit ou de trente jours, peu importe –, la femme commence généralement à ovuler le douzième jour. Les jours cruciaux sont les douzième, treizième et quatorzième. On peut aller au-delà, disons du onzième au quinzième – ou même au seizième dans certains cas. L'ovule vit douze heures, le spermatozoïde vingt-quatre – bien que certains médecins assurent qu'il peut vivre jusqu'à soixante-douze heures. Pour mettre toutes les chances de son côté, il vaut mieux considérer que la période d'ovulation s'étend du onzième au quinzième jour. C'est à ce moment qu'elles risquent le plus de tomber enceintes.

» Je ne pouvais pas les aborder dans la rue et leur demander la date de leurs dernières règles. Pas question. C'étaient des *inconnues* pour moi. Avec sa femme ou sa petite amie, c'est différent, on sait quand elles vont avoir leurs règles. Je ne les connaissais absolument pas, vous comprenez ? Il fallait donc que je détermine moi-même leur période de fécondité, et c'est ce que j'ai fait. Regardez le calendrier.

» Prenons... prenons août, par exemple, c'est facile car le 1er tombe un lundi. En août, j'étais dans le Maine mais c'est seulement pour vous donner un exemple. Bon, le 1er tombe un lundi et disons, pour simplifier, que c'est aussi le premier jour du cycle menstruel d'une femme quelconque. Je la viole ce lundi-là. Le lundi suivant, c'est le 8, et aussi le huitième jour de son cycle, je simplifie pour que vous puissiez suivre facilement. Le lundi suivant, c'est le 15, je tombe sur un jour d'ovulation, c'est gagné. Dans cet exemple, je n'aurais même pas essayé une quatrième ou une cinquième fois. Mais en suivant le calendrier, il faut que je sois sûr de réussir tôt ou tard.

» Le 22 aurait été le vingt-deuxième jour de son cycle, et le 29, le vingt-neuvième, ou, pour certaines femmes, le début d'un nouveau cycle, cela varie. Supposons que le cycle redémarre le lundi 29. En septembre, le lundi suivant est le 5, c'est maintenant le *huitième* jour de son cycle. Le lundi suivant, c'est le 12, quinzième jour du cycle, et c'est encore gagné ! Mon système était à toute épreuve. En opérant selon un calendrier soigneusement établi à l'avance, elles devaient tomber fatalement enceintes tôt ou tard. Et à moins de vouloir porter le bébé de leur violeur, elles devaient se faire avorter.

» C'était aussi simple que cela.

» J'ai fait cela pour leur montrer à quel point elles étaient dans l'erreur.

» Pour montrer aux membres de ces mouvements qu'ils n'ont pas le droit d'imposer leur volonté à d'autres.

» Pour leur faire comprendre que nous sommes en démocratie et qu'en démocratie, la liberté de choix existe pour tout le monde. »

Annie Rawles lut et relut les aveux d'Arthur Haines. Il pensait que les mouvements de Défense de la vie avaient tort, les membres de ces mouvements pensaient avoir raison.

Annie pensait qu'ils avaient *tous* tort.

Elle se demandait parfois ce qui se passerait si les gens laissaient simplement les autres tranquilles.

La pluie et le vent avaient cessé.

Dans Grover Park, en face du 87e commissariat, les arbres étaient dénudés, le sol couvert de feuilles mortes.

– La pluie s'est enfin arrêtée, dit Meyer.

Tous les inspecteurs songeaient que l'hiver était proche.

Ils avaient des sentiments mêlés, ce samedi après-midi. Tous savaient ce qui était arrivé à Eileen Burke. Ils savaient aussi qu'Annie Rawles avait épinglé le violeur, mais ils ignoraient ce que Kling éprouvait et se demandaient comment il faudrait le traiter quand il reviendrait de l'hôpital. Impossible de lui dire : « Salut, Bert. Paraît qu'Eileen s'est fait violer ? » Ils se posaient toujours la question quand Ollie Weeks appela.

– Allô, Steve-a-rino ? Comment ça va ? demanda l'obèse au téléphone.

– Plutôt bien, répondit Carella. Et toi ?

– Oh ! ça gaze, ça gaze, juste les emmerdes habituelles. Tu sais que je pense sérieusement à me faire muter au 87e ? J'aime vraiment bosser avec vous, les gars.

Carella resta coi.

– T'as vu les journaux, aujourd'hui ? poursuivit Weeks.

– Non.

– On parle que de notre cinglé. Avec des titres du genre : « Lightning frappe deux fois. » Il a eu ce qu'il voulait, j'ai l'impression. Il est de nouveau célèbre.

– Si c'est cela être célèbre, dit Carella.

– Ouais, bon, on sait jamais avec les branques, conclut Ollie.

Puis il ajouta, d'un ton presque détaché :

– J'ai entendu dire que la nana de Kling s'est fait tringler hier soir.

Après un moment de silence glacial comme la Sibérie, Carella répondit :

– Ollie, ne répète jamais cela.

– Quoi ?

– Ce que tu viens de dire. Ne répète jamais cela à personne, pas même à ta mère. C'est...

– Ma mère est morte.

– C'est clair ?

– Mais qu'est-ce qu'il y a ?

– Il y a qu'Eileen est l'une des nôtres, répondit Carella.

– Bon, elle est flic. Et alors ? Qu'est-ce que... ?

– Non, Ollie. C'est l'une des *nôtres.* Tu comprends, Ollie ?

– Ouais, j'ai compris, t'énerve pas. Je dirai plus jamais ça.

– Je l'espère.

– Ce que tu peux être de mauvais poil, aujourd'hui ! Rappelle-moi quand tu seras mieux luné, d'ac ?

– D'accord.

– *Ciao, paisan,* lança Ollie Weeks avant de raccrocher.

Carella reposa doucement le combiné sur son socle. Pour lui, si Kling souffrait, tous les gars du 87 souffraient aussi. C'était aussi simple que cela.

– Le plus beau, avec Lightning, c'est que ce n'est pas le Sourd, finalement, dit Hawes.

– Moi aussi j'avais peur que ce soit lui, avoua Meyer.

– Tu n'es pas le seul, dit Carella.

– On aurait dit son style, fit Brown.

– Quelqu'un veut du café ? proposa Meyer.

– Enfin, c'était déjà une sale affaire, reprit Hawes.

– Ç'aurait pu être pire, supputa Brown.

– Ç'aurait pu être vraiment le Sourd, renchérit Carella.

Miscolo sortit du couloir menant au secrétariat, poussa la porte de la barrière et se dirigea droit vers Carella.

– Juste l'homme qu'on attendait ! s'exclama Meyer. Il y a du jus, chez toi ?

– Je croyais que vous n'aimiez pas mon café, répliqua Miscolo.

– On l'adore, assura Brown.

– Va au bistrot du coin si tu veux un café.

– Il fait froid, dehors, plaida Hawes.

– Les gens qui aiment mon café seulement quand il fait froid, je m'en passe, déclara Miscolo. C'est pour toi,

Steve, ajouta-t-il en jetant une enveloppe blanche sur le bureau. C'est arrivé il y a quelques minutes. Sans adresse d'expéditeur.

Carella regarda la lettre : elle lui était adressée personnellement, au 87ᵉ commissariat, et portait le cachet de la poste d'Isola.

– Ouvre vite, dit Miscolo. Je meurs de curiosité.

– Teddy sait que tu as une petite amie qui t'écrit ici ? lança Hawes en clignant de l'œil en direction de Meyer.

Carella ouvrit l'enveloppe.

– Qu'est-ce que t'as fait de ta moumoute ? demanda Brown à Meyer. Tu devrais la mettre, avec le temps qu'il fait.

Carella déplia la feuille de papier qu'il avait sortie de l'enveloppe, l'examina et pâlit.

– Qu'est-ce que c'est ? dit Meyer.

Le silence se fit dans la salle de permanence et les inspecteurs se groupèrent autour de Carella, qui tenait toujours la feuille de papier à la main. Ils se penchèrent, regardèrent.

– Huit cheveux noirs, murmura Meyer.

– Le Sourd, conclut Brown.

Le Sourd était de retour.

Impression Brodard et Taupin à La Flèche (Sarthe)
le 9 avril 1987
1780-5 Dépôt légal avril 1987. ISBN 2-277-22177-5
Imprimé en France

Editions J'ai lu
27, rue Cassette, 75006 Paris
diffusion France et étranger : Flammarion